Stefan Dünser
Werner Kreidl

AF550620

Die geniale und spaßige Tubaschule

Mit
QR-Codes

Schneller Lernerfolg
durch Links zu vielen Playbacks

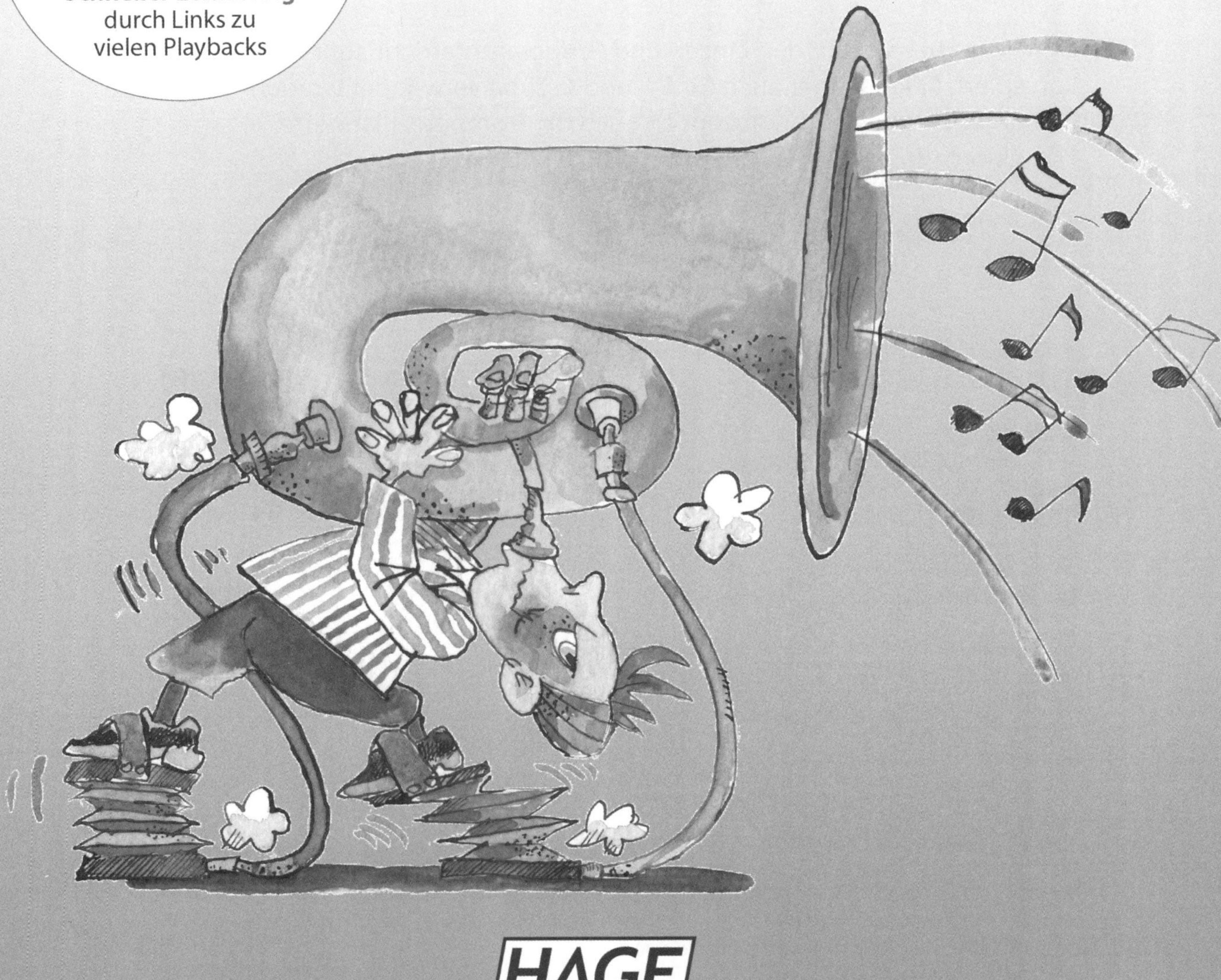

BAND 1

Vorwort

Wir freuen uns sehr, die „Fuchs-Reihe" nun um den Tuba Fuchs erweitern zu können.

Mit dem Tuba Fuchs erlernen Anfänger Schritt für Schritt spielerisch und mit Begeisterung das Tubaspiel. Eine Menge neue, aber auch bewährte Methoden sind in diese Schule eingearbeitet.

Internationale Spitzenlehrer wie Reinhold Friedrich und Bo Nielsson empfehlen diese Schulreihe. Warum? Weil die Konzepte der Fuchs-Serie wirklich funktionieren. Viele tolle Solostücke und Duette, musikalisch wertvolle Etüden, technische-, flexibilitäts- und ansatzaufbauende Übungen sowie ein lyrisch-sanglicher Zugang zur „Kunst des Tubaspiels" tragen mit dazu bei, dass die Schüler nicht nur gut spielen, sondern auch gut klingen.

Ein Markenzeichen dieser Schule ist auch ihr Humor: Mit zahlreichen Comics lenken der Cartoonist und die Autoren die Aufmerksamkeit der Schüler und Lehrer dorthin, wo sie sein sollte: zur Freude am Musizieren. Zu vielen Übungen gibt es auch tolle Playbacks per QR-Code zum Anhören, die man ganz einfach über Smartphone oder Tablet abspielen kann. So macht das Üben besonders viel Spaß.

Der Tuba Fuchs ist für den Einzel- und Gruppenunterricht auf F- und B-Tuba konzipiert. Er kann aber auch für Es- und C-Tuba verwendet werden. Das „ausgefuchste" Lehrkonzept ist auch für Trompete, Klarinette, Flügelhorn, Posaune, B- und F-Horn erhältlich.

Herausgeber:
© 2020-2025, Stefan Dünser

Vertrieb:
HAGE Musikverlag GmbH & Co. KG
Eschenbach 542
91224 Pommelsbrunn, Deutschland
Telefon: +49 (0)9154 91 69 4-0
Telefax: +49 (0)9154 91 69 4-1
Mail: info@hage-music.com

Kontaktadresse Stefan Dünser: stefan.duenser@aon.at
Notensatz/Satz: Stefan Dünser, Rainer Pink, Otto Hornek
Layout/Coverdesign: Richard Weber
Cartoons: Martin Rhomberg
Gesamtherstellung: Helmut Hage, Rainer Pink
Printed in Germany

Über diesen QR-Code kannst du eine Playlist aufrufen, die alle Playbacks der Übungen enthält:

Du brauchst dazu nur eine Scan-App für dein Smartphone oder Tablet, die du bei Bedarf kostenlos herunterladen kannst. Scanne über die Kamera den QR-Code. Damit lässt sich ein Link öffnen, der dir das entsprechende Playback lädt.

■ Notenbuch, Best-Nr. EH 3818 ISBN 978-3-86626-427-4

Besuchen Sie uns im Internet! **www.hage-music.com**

Inhalt

Anhang

Cartoons Martin Rhomberg

Liebe Eltern!

Ihr Kind hat sich entschieden, ein Musikinstrument zu erlernen. Sicherlich ist Ihnen bewusst, dass auch Sie damit ein gewisses Maß an Verantwortung übernommen haben. Dafür werden Sie aber auch mit vielen unvergesslichen Momenten belohnt werden. Der Erfolg ihres Kindes hängt im Wesentlichen davon ab, wie diese zusätzliche Freizeitbeschäftigung zu Hause geschätzt und unterstützt wird. Findet Ihr Kind dafür im richtigen Maß Beachtung, steht einer positiven Entwicklung des jungen Musikers in verschiedenen Bereichen seiner Persönlichkeit nichts mehr im Wege. Zahlreiche, von renommierten Instituten durchgeführte Studien belegen, dass sich das aktive Musizieren äußerst günstig auf bestimmte Bereiche wie z. B. Konzentration und insbesondere auf gruppenintegrative Fähigkeiten auswirkt!

Vorschläge, wie Sie den Unterricht ihres Kindes wesentlich erleichtern können:

• Halten Sie Kontakt mit der Lehrperson Ihres Kindes - es kann von großem Vorteil sein, wenn Sie den Unterricht von Zeit zu Zeit zusammen mit Ihrem Kind besuchen. Anfangs ist dies sogar notwendig, damit Sie Ihr Kind zu Hause beim Üben im richtigen Maß unterstützen können.

• Zu Beginn ist es notwendig, dass Sie ihr Kind zu Hause in rhythmischen und haltungstechnischen Belangen unterstützen. Mitsingen, mitklatschen - all das können Sie im richtigen Maß positiv beeinflussen, bitte immer in Rücksprache mit dem Lehrer. Eine fröhliche, positive Stimmung zu Hause unterstützt Ihr Kind besonders.

• Erinnern Sie Ihr Kind täglich ans Üben, daran führt leider kein Weg vorbei! Hat sich die Übe-Routine einmal eingestellt, fällt dem Kind das Üben leicht (1. Halbjahr ca. 15-20 min. täglich, 2. Halbjahr ca. 20-25 min. täglich, ab dem 2. Lernjahr 30 min. täglich). Dabei ist es ratsam, das Üben mehr als „Spiel" denn als lästige Pflicht „zu verkaufen".

• Informieren Sie den Lehrer Ihres Kindes über eventuelle gesundheitliche Probleme (z.B. Asthma, Legasthenie usw.)!

• Motivieren Sie Ihr Kind zusätzlich, indem Sie es in Konzerte mitnehmen.

• CDs oder Musikvideos sind wunderbare Geburtstags- und Weihnachtsgeschenke und motivieren Ihr Kind sehr!

• Besuchen Sie die Vorspielabende Ihres Kindes und sparen Sie auf keinen Fall an Lob! Zeigen Sie Begeisterung, wenn Ihr Kind Ihnen vorspielt!

• Kritische Phasen sind beim Musikschulunterricht völlig normal. Manchmal sind es nur kurze Motivationsschwankungen, doch gibt es immer wieder Kinder, die sich schnell überfordert fühlen. Manchmal liegt es dann in Ihrer Hand, ob das Kind den Musikschulunterricht fortsetzt oder nicht. Eine Krise stellt sich immer erst im Nachhinein als nützlich heraus, da gilt es durchzuhalten! Humor, ehrliche Begeisterung für Musik, aber auch die Ermutigung, sich Problemen zu stellen, helfen dem Kind in dieser Situation am meisten. Auch das Mitspielen mit anderen Kindern löst oft Motivationsprobleme.

Aller Anfang ist schwer

Diese Tatsache ist uns Erwachsenen oft nicht bewusst. Eines der zentralen Anliegen dieser Schule ist, die jungen Musiker spielerisch und mit Begeisterung auf den richtigen Weg zu schicken.
Das Erlernen eines Instrumentes fordert von den Kindern alles: Einsatz, Durchhaltevermögen, viel Zeit und einiges mehr.
Dass dabei eine ordentliche Portion Humor nicht fehlen darf, ist sicher jedem bewusst. Einzelne Lernschritte werden daher durch kindgerechte Visualisierung (Comics) unterstützt.

Viele neue, sowie auch alte und bewährte methodische Wege sind in diese Schule eingearbeitet. Zahlreiche Übungen zum Thema Musikalität, Flexibilität, Klang, Tonumfang, Technik sowie ein klarer rhythmischer Aufbau prägen die Struktur des **Tuba Fuchs**. Es ist eine unbestrittene Tatsache, dass junge Tuba-Schülerinnen und Schüler am liebsten Lieder spielen. Dem wird auch der **Tuba Fuchs** gerecht. Ein rascher Fortschritt ohne Übungen im technischen Bereich (auch Atemtechnik) ist jedoch nicht zu erreichen.

Durch eine fröhliche und aufmunternd gestaltete Verpackung soll es leichter werden, den Tubanachwuchs zum Üben von Tonleitern und Etüden zu animieren. Der **Tuba Fuchs** beinhaltet neben Stilrichtungen wie Klassik, Volksmusik, Jazz auch Technikübungen und Tonleitern sowie flexibilitäts- und ansatzaufbauende Übungen für die ersten 3-4 Lernjahre.

Der Tuba Fuchs enthält:

- Atmungscomics und viele Karikaturen
- Eine große Zahl von leichten, aber auch anspruchsvollen Liedern
- Einige Etüden
- 2 technische Übungsschemata: „Heiße Ventile" sowie das „Tonleiter-Spiel"
- Regelmäßig neue, dem Fortschritt angepasste Einspiellieder, mit vielen Bindungen bzw. tonbildenden und flexibilitätsfördernden Elementen
- Tontreffübungen („Duell")
- Zahlreiche Rhythmus-Tonleitern
- Zahlreiche Duette
- Einen Anhang mit Weihnachtsliedern, Tonumfangtraining, Krafttraining, Grifftabelle usw.

Welcher Anfangston ist der beste?

Da Tuba nicht gleich Tuba ist, wird der **Tuba Fuchs** zu Beginn getrennt für F- und B-Tuba geführt. Damit ist gewährleistet, dass von der Mittellage aus begonnen wird und sich der Ansatz sowohl nach unten als auch nach oben gleichmäßig und von einer stabilen Basis aus entwickeln kann.

Hinweise zum Buch

Der **Tuba Fuchs** ist für F- und B-Tuba konzipiert. Man kann aber auch mit Es- bzw. C-Tuba mit diesem Buch arbeiten. Diesbezüglich gibt es in den Noten große Kästchen, in die man die Griffe für Es und C eintragen kann. Bis Nr. 45 gibt es extra Seiten für jeweils F- und B-Tuba. Danach sind alle Übungen und Spielstücke für beide Stimmungen zu verwenden. Sollte es einmal davon abweichen, so wird es durch FT (für F-Tuba) und BT (für B-Tuba) gekennzeichnet. Bei der Melodieführung mit zwei Alternativen ist in der Regel FT oben und BT unten notiert.

So heißen die verschiedenen Teile auf deiner Tuba:

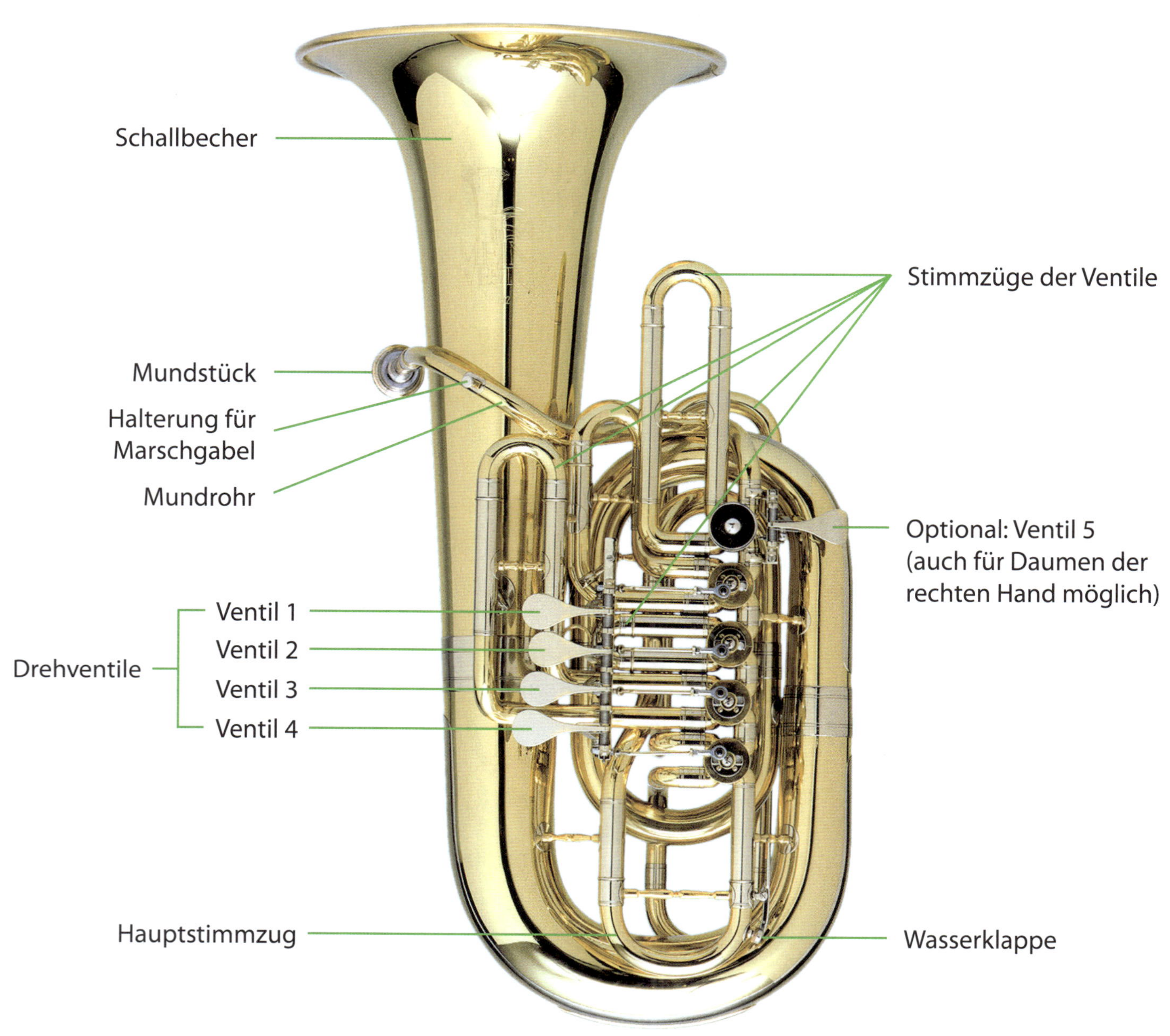

Bildnachweis: © buffetcrampongroup.com

Tuba mit Perinet-Ventilen (auch Pump-Ventile genannt):

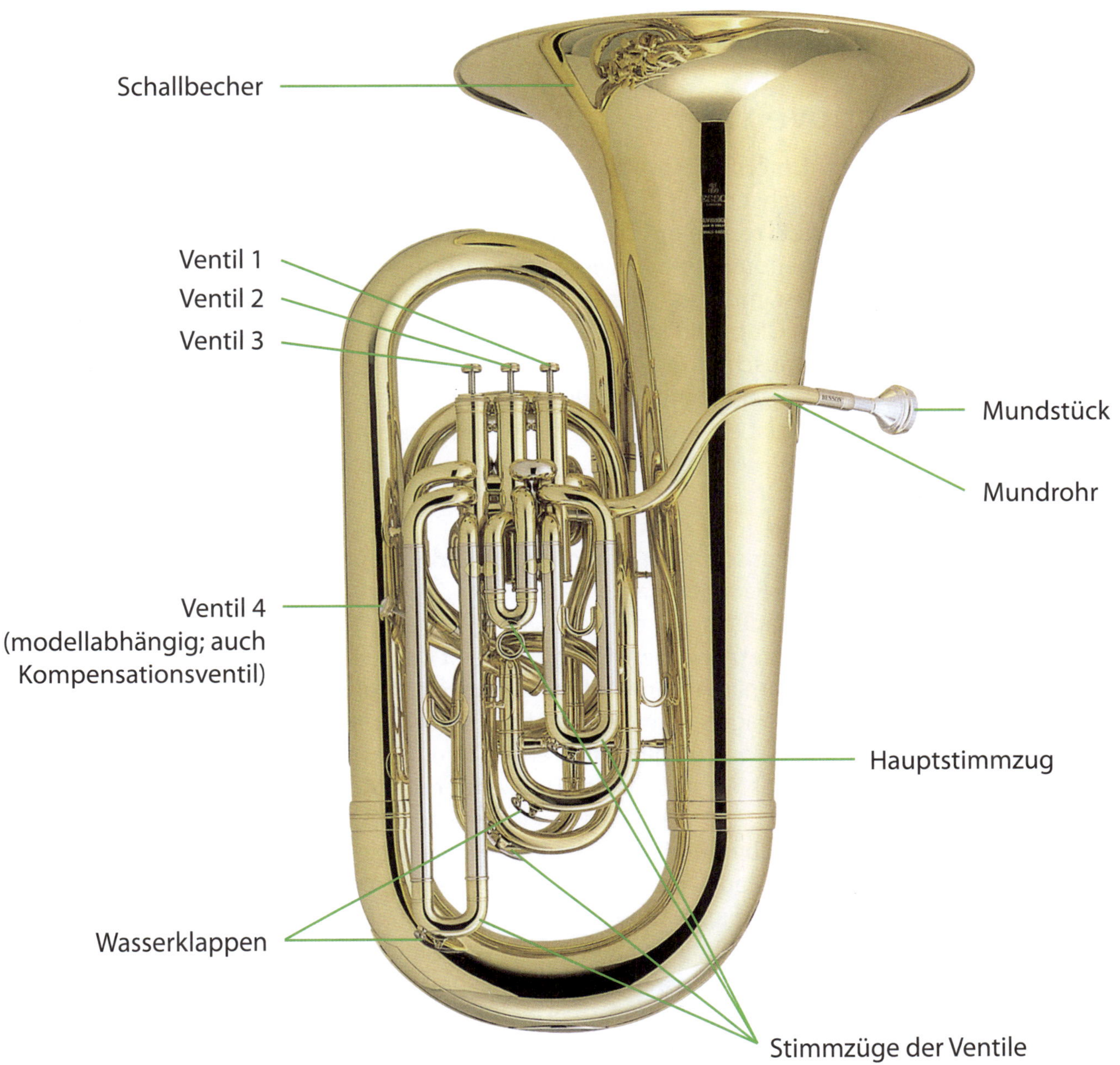

Bildnachweis: © buffetcrampongroup.com

Die Instrumentenpflege

Blechblasinstrumente sind relativ robust gebaut. Wenn sie stets in gut passenden Instrumentenkoffern oder Tragetaschen transportiert und nie fallen gelassen werden, sind keine größeren Probleme zu erwarten. Sehr praktisch sind gut gepolsterte Taschen mit Rucksackfunktion.

Die Pflege der Ventile und Ventilzüge

Ventile müssen, besonders wenn das Instrument neu ist, regelmäßig gereinigt und geölt werden. Wie das Ölen genau funktioniert, musst du dir unbedingt von deinem Lehrer vorführen lassen!

Die Pflege von Drehventilen

1x wöchentlich sollst du nach dem Üben ca. 5-10 Tropfen Öl durch das Mundrohr in dein Instrument laufen lassen. Wichtig ist, dass du dabei die Ventile bewegst, damit sich das Öl in den Ventilbuchsen verteilen kann. Lass dir dabei von jemandem helfen! Zusätzlich müssen bei Drehventilen alle 2-3 Monate sämtliche beweglichen Teile der Ventile mit einem anderen, dickeren Öl geschmiert werden. Lass dich am besten von deinem Lehrer beraten!

Die Pflege von Pumpventilen

Ich empfehle dir, jeweils vor der Unterrichtsstunde 5 Tropfen Öl auf jedes der Ventile zu geben. Zu diesem Zweck nimmst du zunächst das erste Ventil vorsichtig heraus. Achtung: du darfst das Ventil dabei nicht verdrehen! Gib die drei Tropfen auf den unteren Teil mit den Löchern und schiebe das Ventil genauso wie du es herausgenommen hast wieder zurück. Wenn du das Ventil wieder zurück in die Ventilbuchse geschoben hast, muss es ganz leicht einklicken. Diesen Vorgang wiederholst du mit jedem Ventil! Wenn nach dem Ölen dein Instrument nicht mehr funktioniert - keine Panik! Du hast entweder nur die Ventile vertauscht oder ein Ventil verdreht eingesetzt! Zudem ist es bei neuen Ventilen notwendig, diese ca. alle zwei Wochen vor dem Ölen mit einem weichen Tuch vom schwarzen Schmutz zu befreien! (Der Schmutz ist ein Produkt des Einschleifungsprozesses im ersten halben Jahr).

Die Innenreinigung

So ca. alle 3 Monate solltest du dein Instrument gründlich innen durchspülen. Lass dir dabei von einem Erwachsenen helfen. Besorge dir im Fachgeschäft eine spezielle Duschaufsatzdüse (im Fachgeschäft fragen). Dazu legst du Tuba in die Badewanne, die du zuvor mit einem alten Handtuch ausgelegt hast, damit weder Wanne noch Tuba zerkratzt werden. Entferne zuerst den Hauptzug und drehe das Wasser langsam auf! Zusätzlich oder als Alternative kannst du die Tuba mit einer speziellen, dünnen, langen Reinigungsbürste (im Fachgeschäft fragen) reinigen und immer wieder Wasser durch die Tuba spülen. Diesen Vorgang öfters wiederholen! Bewege dazu die Ventile, damit das Instrument auch in den Zügen gereinigt wird. Am Ende musst du das Wasser aus der Tuba entfernen. Achtung, das Instrument ist mit dem Wasser sehr schwer und durch das Ausleeren kann ein Schwalleffekt entstehen, der das Halten noch schwerer macht. Lass dir deshalb unbedingt von einem Erwachsenen helfen!
Die Ventile müssen nach dem Ausspülen wieder geölt werden! Bei dieser Gelegenheit solltest du auch alle Züge herausnehmen, mit Zeitungspapier abwischen und ganz dünn neu einfetten. Zum Einfetten der Ventilzüge gibt es ein spezielles Fett im Fachgeschäft zu kaufen. Du bekommst im Fachgeschäft auch eine spezielle Mundstückbürste. Die Kosten sind minimal und der Nutzen riesengroß.
Außer dem hygienischen Aspekt leidet auch dein Ton unter Verschmutzungen im Mundstück!

Die Außenreinigung

Reinige von Zeit zu Zeit deine Tuba mit einem weichen feuchten Tuch. Ein unlackiertes Instrument kann auch mit speziellen Putzmitteln wieder auf Hochglanz poliert werden. Für versilberte Instrumente gibt es spezielle Silberputztücher!

Wenn das Mundstück festsitzt

Das kann passieren! Du solltest dein Mundstück immer mit einer leichten Drehbewegung ins Instrument geben. Wenn das Mundstück aber manuell nicht mehr aus dem Instrument zu entfernen ist: Beim Instrumentenbauer gibt es dafür eine spezielle „Abzieh-Vorrichtung"! Versuche nie ein festsitzendes Mundstück selbst mit Gewalt zu entfernen, da man dabei oftmals andere Teile der Tuba beschädigt, deren Reparatur wesentlich teurer ist. Gehe lieber zu einer entsprechenden Fachwerkstatt.

Verschiedene Tuben!

Kleine F-Tuba

Große F-Tuba

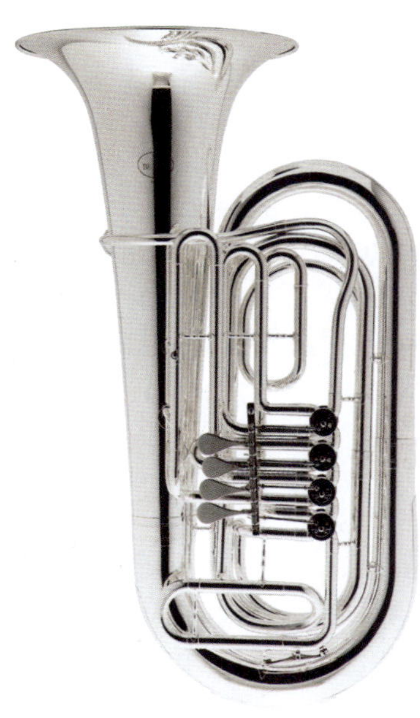

Kleine B-Tuba

Große B-Tuba

Bildnachweis: © buffetcrampongroup.com

Die richtige Atmung - Atemspiele

Nur der wird ein wahrer Tuba Fuchs, der genau weiß, wie die Atmung richtig funktioniert. Die richtige Atmung zu beherrschen, bringt dir große Vorteile: Du kannst viel länger spielen, ohne zu ermüden und dein Ton klingt viel besser. Die folgenden Atemspiele sollen Spaß machen und dir helfen, eine gut funktionierende Atemtechnik zu erlernen.

Dein Körper atmet normalerweise automatisch richtig, bei größeren Herausforderungen kann es jedoch passieren, dass du falsch atmest. Du merkst das z.B. beim Sport, wenn du Seitenstechen bekommst. Ein Blechbläser sollte darauf achten, dass er den ganzen Oberkörper von unten nach oben mit Luft füllt, ähnlich wie ein Glas mit Wasser. Vermeide es dabei, die Schultern nach oben zu ziehen. Atme zu Beginn hauptsächlich durch die Nase, dann atmet dein Körper normalerweise automatisch richtig!

3 Lege dich auf den Boden und atme langsam und tief durch deine Nasen am Bauch ein und wieder aus!

5 x wiederholen!

4 Blase mit einem Trinkhalm in ein Glas Wasser! Wieviele Sekunden kannst du ohne Unterbrechung blubbern?

Sekunden: ___

5 Puste ein Papiertaschentuch von deinem Gesicht - so hoch du kannst! 5 x!

6

Luftballon aufblasen 2x!

7 Versuche einen leichten Papierball in der Luft zu balancieren! Versuche es, bis es dir gelingt!

8 Wettbewerb! Versucht zu zweit, einen Wattebausch oder einen Papierknäuel über eine Linie zu pusten! Wer kann besser pusten?

9 Versuche, durch Nase und Mund gleichzeitig zu atmen und wieder auszupusten. Wenn dir das gelingt, atmest du total natürlich und gesund!

Hier noch ein paar andere coole und lustige Atemspiele:

1. Stell dir vor, du hast Mehl auf deiner linken Handfläche und pustest dieses Mehl ins Gesicht deines Lehrers, wie der dann aussieht!

2. Stell dir vor, du hast eine heiße Kartoffel im Mund und pustest so lange, bis sie etwas kühler ist!

3. Puste in deine Handflächen und spüre, wie angenehm angewärmt und angefeuchtet deine Atemluft ist! Hauche deine Atemluft an die Fensterscheibe!

4. Wie klingt das Pusten einer alten Dampflokomotive? Im regelmäßigen Takt 3x auspusten und einmal einatmen. Lauf dabei langsam im Raum umher!

5. Du hast Schnupfen und bist krank, oh weh! Lege dich seitlich hin und halte dir ein Nasenloch zu.
Atme nun langsam und ruhig durch das noch offene Nasenloch ein und aus.
Spürst du, wie dein Körper sich mit Atemluft füllt?

6. Wer kann am besten hecheln wie ein Hund?

Habt ihr noch andere coole Ideen?

Der Ansatz: So formst du deine Lippen

Bei diesem Versuch sollst du dir genügend Zeit lassen. Je gewissenhafter du die Lippenstellung erarbeitest, desto weniger Probleme wirst du später haben. Jeder Blechbläser hat eine andere Methode, die beste Ansatzstellung zu finden. Verlass dich dabei ganz auf deinen Lehrer!

Versuche deine Lippen ungefähr so zu formen, wie unser junger Tuba Fuchs auf dem Foto. Ohne Ton, nur um ein Gefühl für die „neue Maske" zu erhalten! Deine Lippen sollen gleichmäßig aufeinander liegen und sich nicht überlappen. Die Mundschleimhäute dürfen auf keinen Fall sichtbar sein. Ebenso sollst du eine „Pfeif- oder Kussstellung" deiner Lippen unbedingt vermeiden. Wenn dein Ansatz natürlich und unverkrampft aussieht, bist du schon auf dem richtigen Weg!

Und vergiss nie bei all den Versuchen ganz natürlich weiter zu atmen.

Am besten probierst du das alles vor dem Spiegel!

Bildnachweis: © Peter Philipp

Das Mundstück: So hältst du dein Mundstück richtig!

Ansatz vorformen und Mundstück ansetzen

Forme die Lippen wie im Bild vor und setze dein Mundstück an den Mund! Atme zu Beginn stets nur durch deine Nase ein. So ist es leichter, den Mund stabil vorgeformt zu halten. Wo das Mundstück genau hinkommt, wirst du mit deinem Lehrer herausfinden.

Setze das Mundstück eher weiter oben als unten auf die Lippen. Falls der Rand des Mundstücks zu breit ist und die Nase „im Weg" ist, dann lass dir den Rand vom Instrumentenmacher etwas schmäler machen oder an einer Stelle abschleifen. Atme durch die Nase ein und versuche beim Ausatmen einen Ton zu erzeugen. Lass dir das von deinem Lehrer ein paarmal vorführen!

Bildnachweis: © Peter Philipp

Mundstück - Spielen mit verschiedenen Aufgaben!

Wichtig! Vergiss nicht, dass du vor dem Ansetzen deines Mundstücks die Lippen immer richtig vorformst! (Die Lippen dürfen nicht vorfallen!)

Spiele von nun an jeden Tag mindestens 3-5 Minuten auf deinem Mundstück, das geht leicht und macht Spaß - alles klappt dann viel besser!

Der schwarze Pfeil stellt den Ton dar, den du spielen sollst!

1 langer Ton

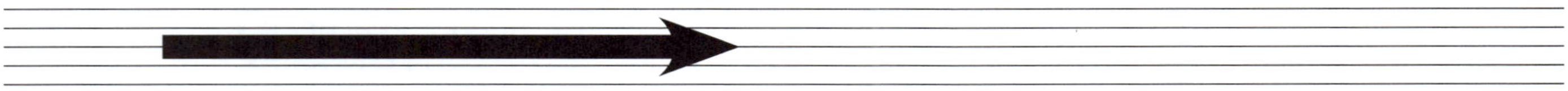

2 zwei lange Töne (Atemzeichen)

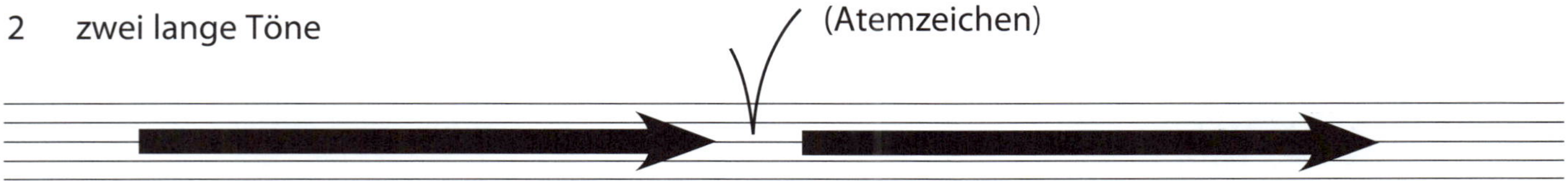

3 Drei lange Töne

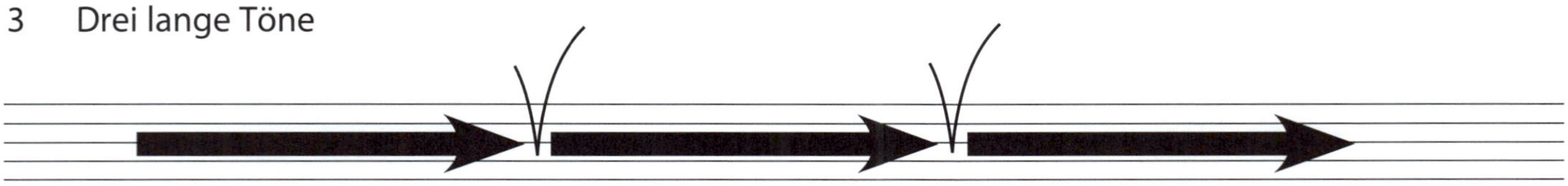

4 kurz - kurz - kurz - lang

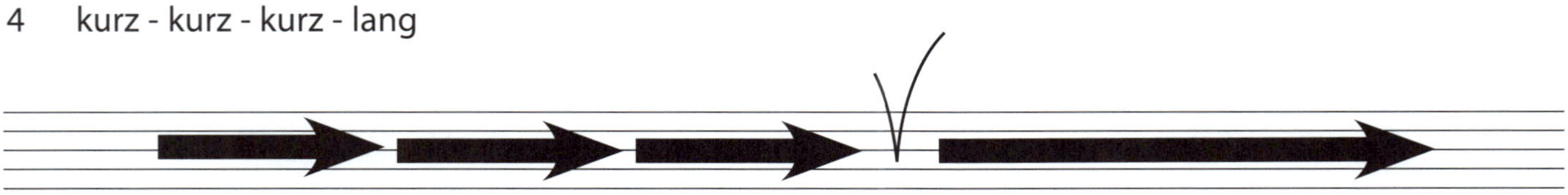

5 lang - kurz, lang - kurz

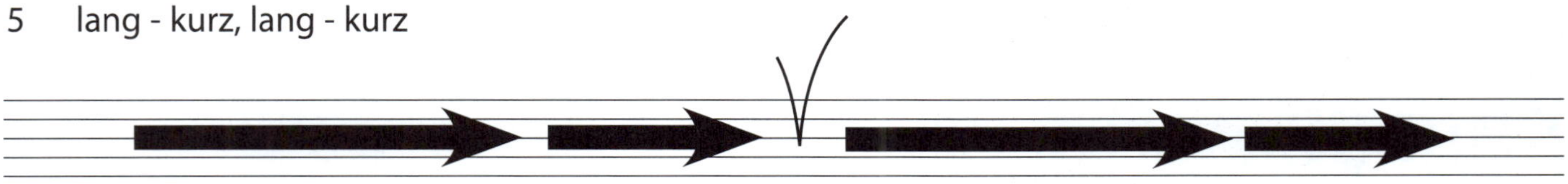

6 kurz - lang, kurz - lang

7 S - O - S! (Setze das Atemzeichen selber!)

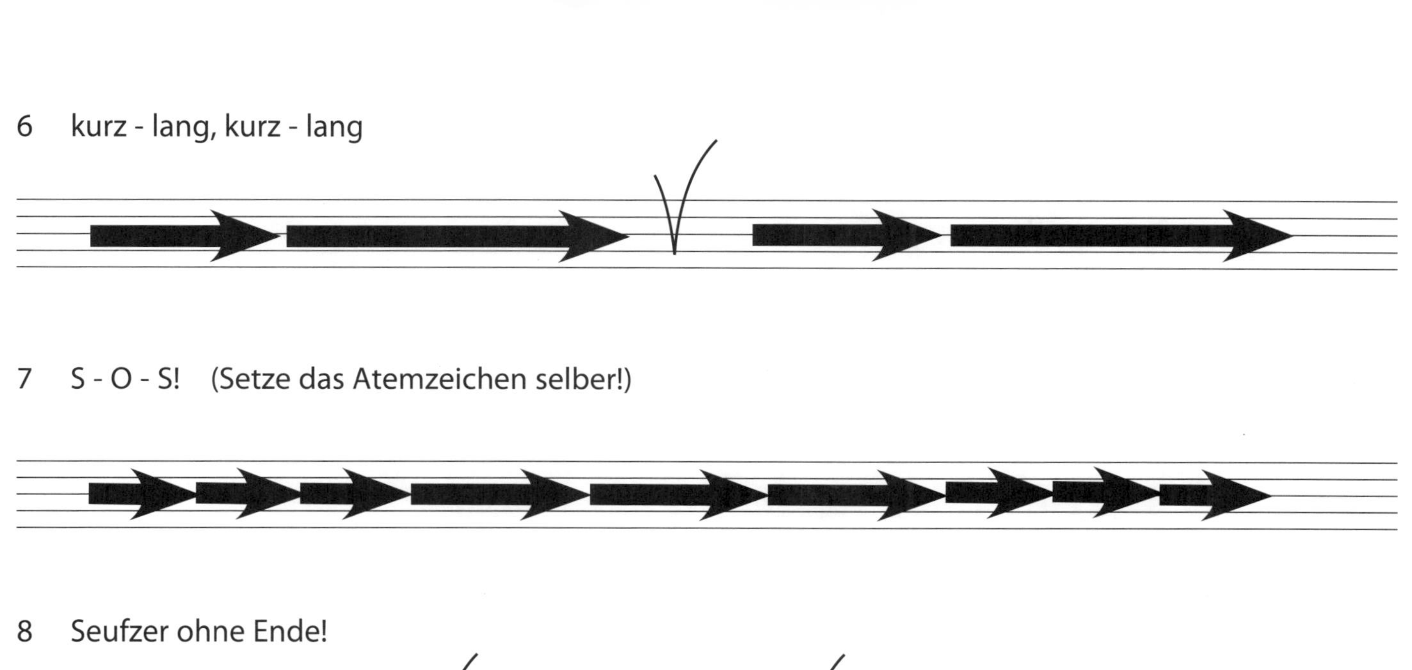

8 Seufzer ohne Ende!

9 Achterbahn

10 langer Ton und huiiii!

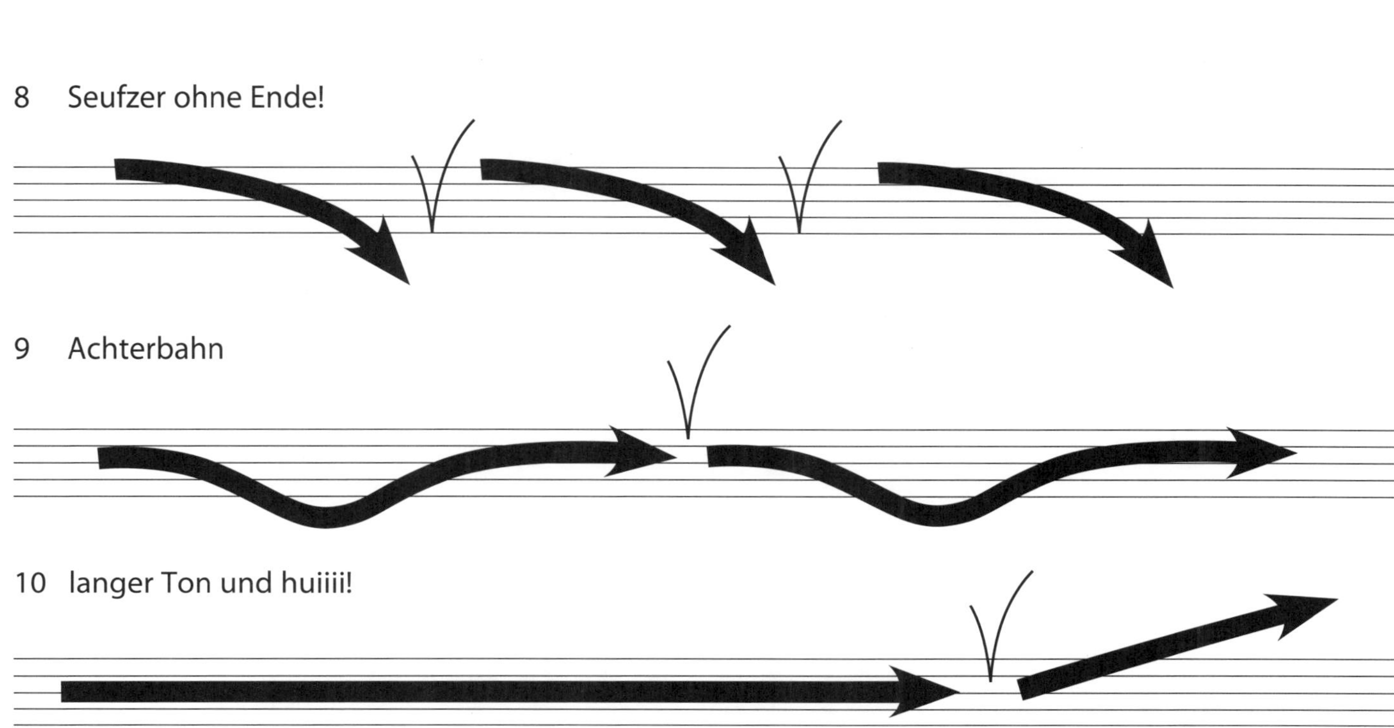

11 Elefant

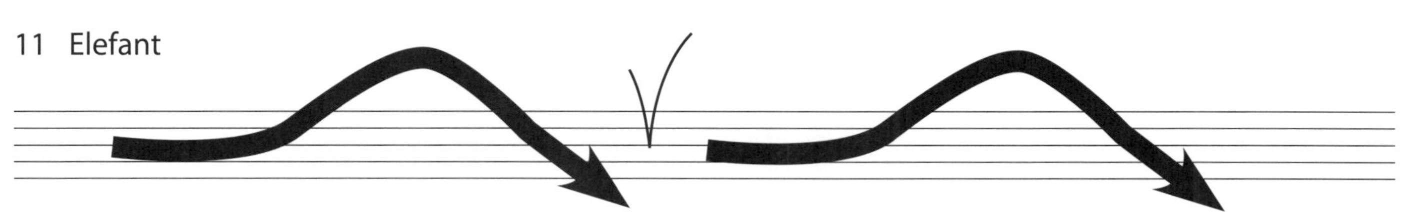

12 Wie klingt dein Name? Beispiel: Benedikt (und der von deinem Lehrer?)

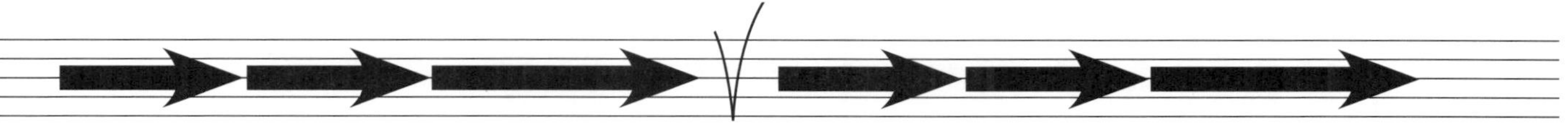

13 Kanonenschüsse (Atemzeichen?)

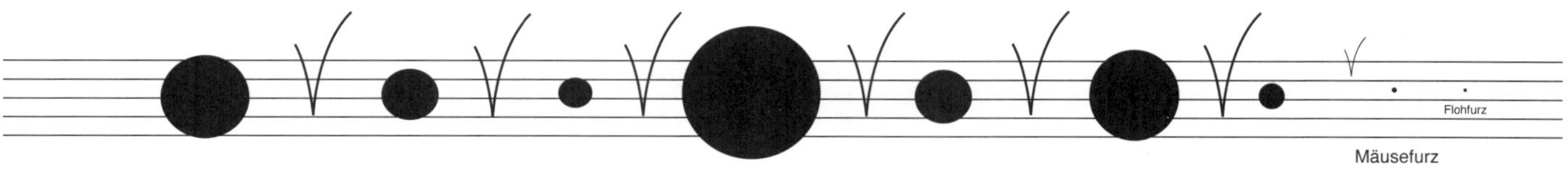

14 Motorradstart

15 Feuerwehr- und Polizeisirene

16 Spiel mal?

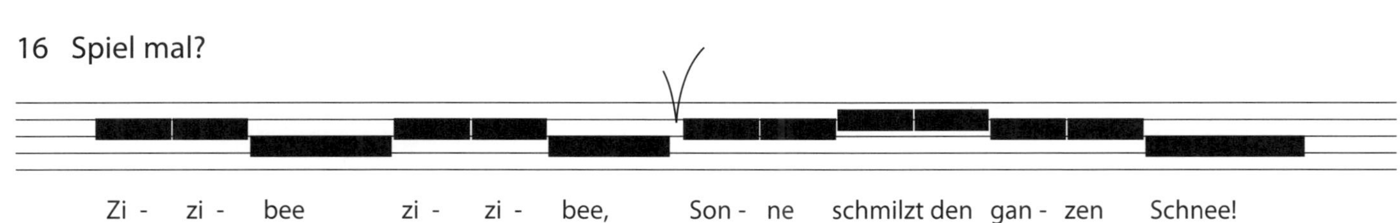

17 Spiele auf deinem Mundstück Lieder, die du gut kennst!

Zum Beispiel:
- Hänschen klein
- Alle meine Entchen
- Hänsel und Gretel
- Ich geh' mit meiner Laterne

Die richtige Haltung im Sitzen und im Stehen

...im Sitzen

Bildnachweis: © Peter Philipp

...im Stehen

Der Tuba wird meistens im Sitzen gespielt. Bei heranwachsenden Tubistinnen und Tubisten ist die Höhe des Mundrohrs selten passend. Deshalb benötigst du wahrscheinlich einen Spielständer. Die genaue Einstellung der Höhe ist dabei äußerst wichtig. Deine Lehrperson hilft dir dabei.

Der Notenständer sollte so aufgestellt sein, dass du die Noten etwa in Augenhöhe hast. Wenn du in einer Blaskapelle oder einem Orchester mit Dirigent spielst, so stellst du die Höhe des Notenständers so ein, dass du den Dirigenten gut sehen kannst.

Je nach Höhe des Spielständers kannst du beim Spielen auch stehen. Dies erleichtert die Atmung.

Probiere am besten beides aus!

Und los geht's (F-Tuba)

Neu:

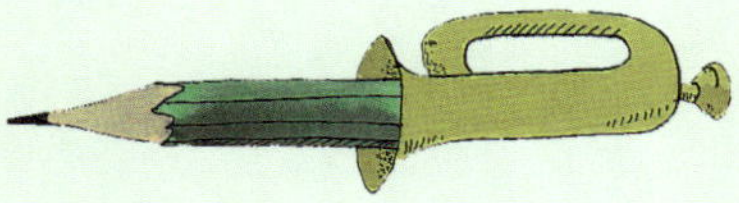

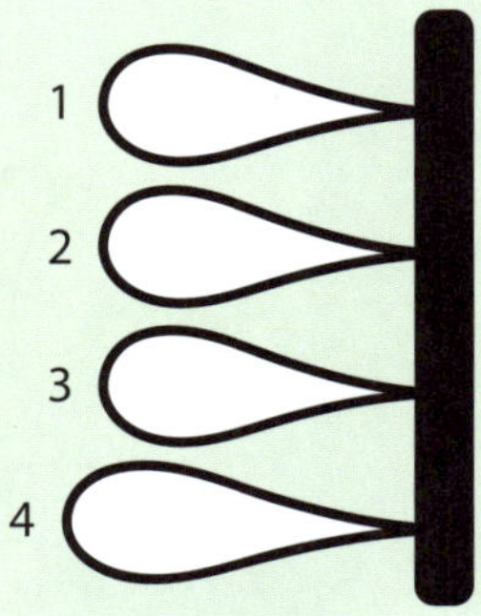

1
2
3
4

Viertel-Pausen
(„Ein-Schlag"-Pausen)

Zähle vor: 1 2 3 4

Ton **Großes B**

FT 1
(FT = F-Tuba)

Ganze Note
(„Vier-Schlag"-Note)

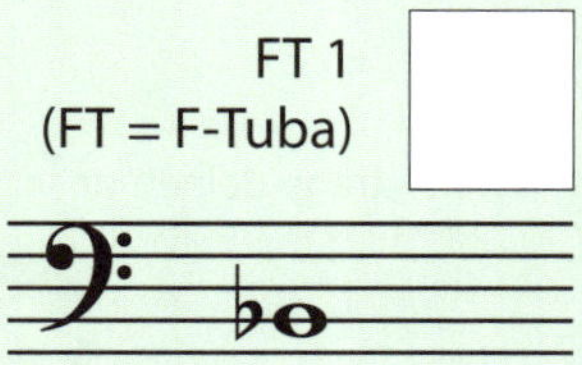

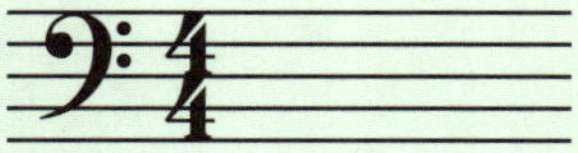

Tipp!
Falls du nicht auf einer F-Tuba spielst, trage deinen richtigen „Griff" in den weißen Kasten ein. Auch für sogenannte Hilfsgriffe kannst du dieses Feld verwenden.

Tipp!
Male oben jene Ventile an, die du für diesen Ton benutzt! Wenn du kein Ventil drücken musst, bleiben alle weiß.

Wiederholungszeichen

Vier-Viertel Takt

√ = Atemzeichen

1F Wollen wir mal das B versuchen?

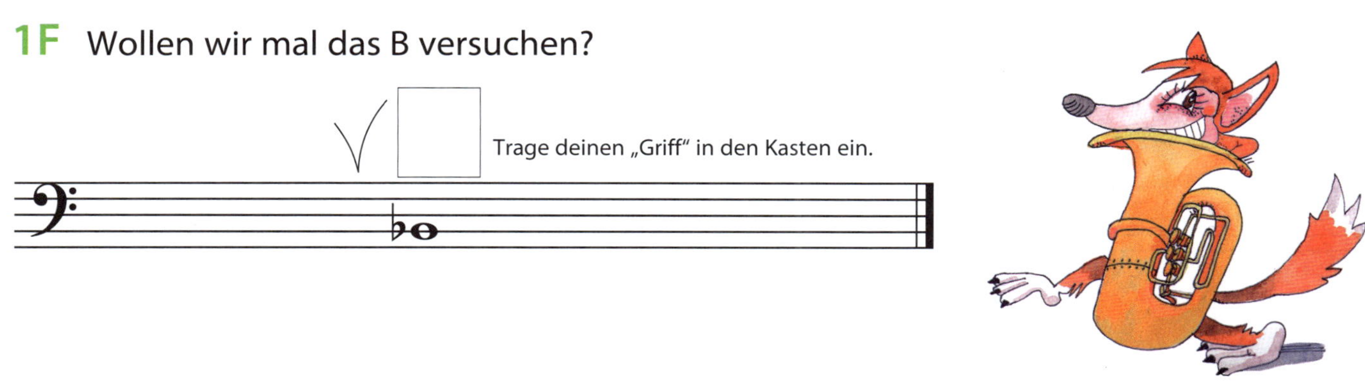

2F So, und jetzt mal „im Takt"!

Und los geht's (B-Tuba)

Neu:

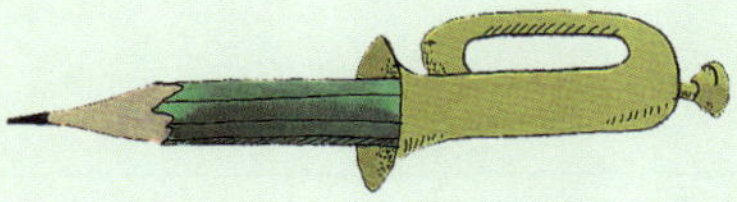

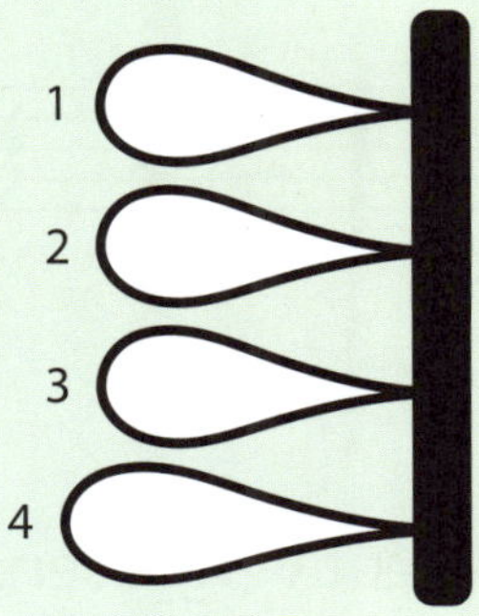

1
2
3
4

Viertel-Pausen
(„Ein-Schlag"-Pausen)

Zähle vor: 1 2 3 4

Ton **Großes F** BT 0 (BT = B-Tuba)

Ganze Note
(„Vier-Schlag"-Note)

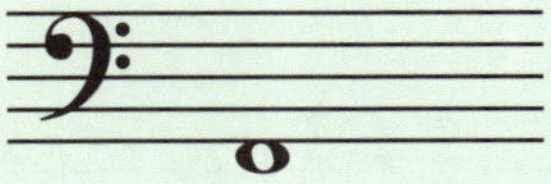

Tipp!
Falls du nicht auf einer B-Tuba spielst, trage deinen richtigen „Griff" in den weißen Kasten ein. Auch für sogenannte Hilfsgriffe kannst du dieses Feld verwenden.

Tipp!
Male oben jene Ventile an, die du für diesen Ton benutzt! Wenn du kein Ventil drücken musst, bleiben alle weiß.

Wiederholungszeichen

Vier-Viertel Takt

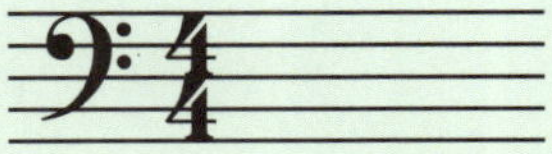

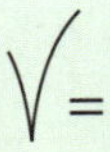

√ = Atemzeichen

1B Wollen wir mal das F versuchen?

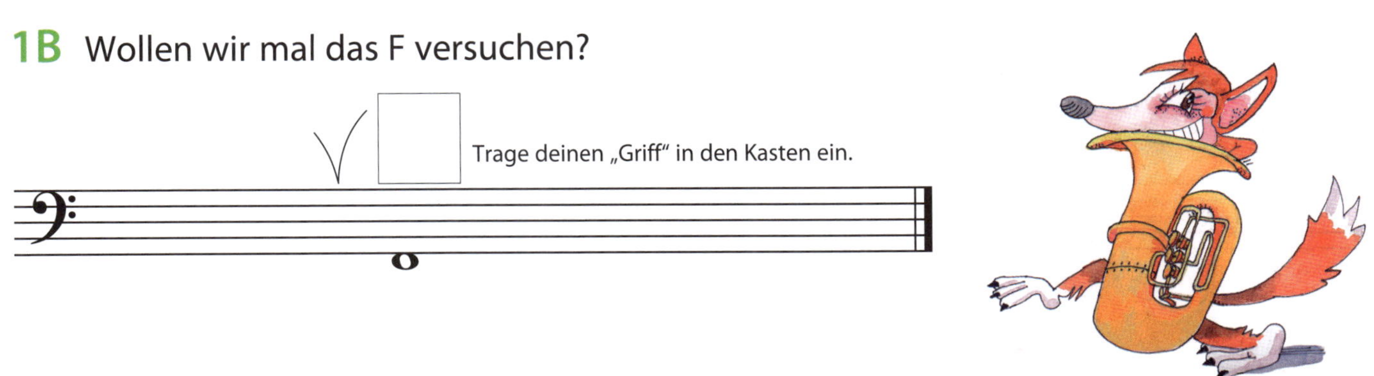

2B So, und jetzt mal „im Takt"!

3F Immer schön zählen!

Zähle immer vier Schläge vor und atme beim vierten Schlag tief ein. Achte darauf, dass du die Vier-Schlag-Note bis zum Ende des 4. Schlags ganz aushältst.

4F Nicht vergessen: Zählen!

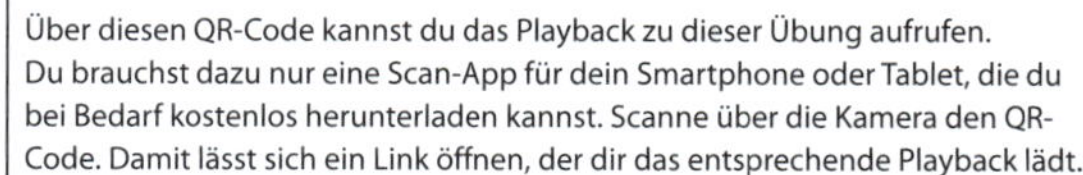

Über diesen QR-Code kannst du das Playback zu dieser Übung aufrufen. Du brauchst dazu nur eine Scan-App für dein Smartphone oder Tablet, die du bei Bedarf kostenlos herunterladen kannst. Scanne über die Kamera den QR-Code. Damit lässt sich ein Link öffnen, der dir das entsprechende Playback lädt.

Tipp!

Stell dir immer zuerst den ersten Ton eines Liedes vor, bevor du ihn spielst.
Konzentriere dich dabei bewusst auf die richtige Atmung.

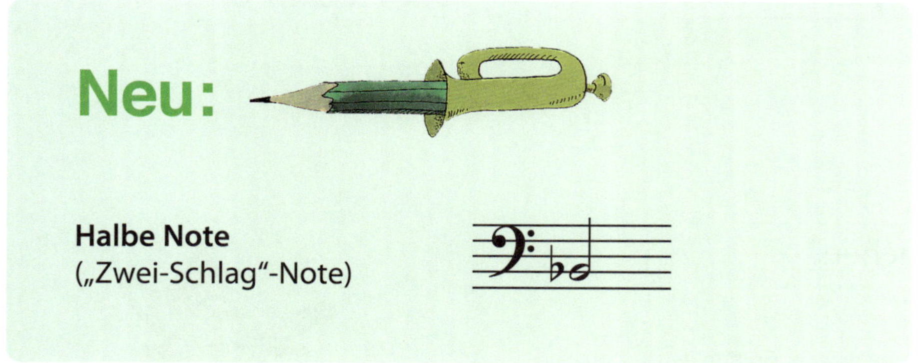

5F Halbe Note + 2 Schläge Pause

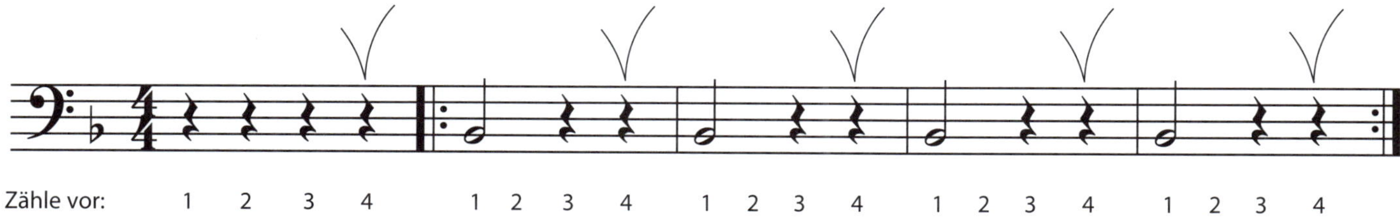

6F Beim 4. Schlag atmen!

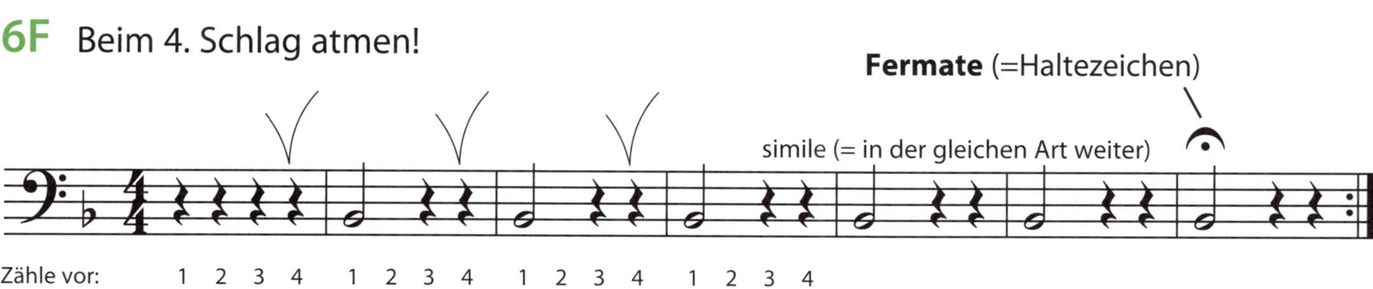

3B Immer schön zählen!

Zähle immer vier Schläge vor und atme beim vierten Schlag tief ein. Achte darauf, dass du die Vier-Schlag-Note bis zum Ende des 4. Schlags ganz aushältst.

4B Nicht vergessen: Zählen!

Über diesen QR-Code kannst du das Playback zu dieser Übung aufrufen. Du brauchst dazu nur eine Scan-App für dein Smartphone oder Tablet, die du bei Bedarf kostenlos herunterladen kannst. Scanne über die Kamera den QR-Code. Damit lässt sich ein Link öffnen, der dir das entsprechende Playback lädt.

Tipp!

Stell dir immer zuerst den ersten Ton eines Liedes vor, bevor du ihn spielst.
Konzentriere dich dabei bewusst auf die richtige Atmung.

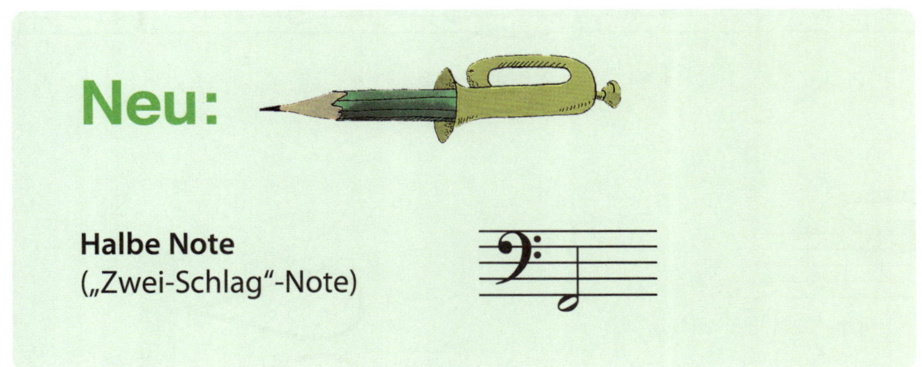

5B Halbe Note + 2 Schläge Pause

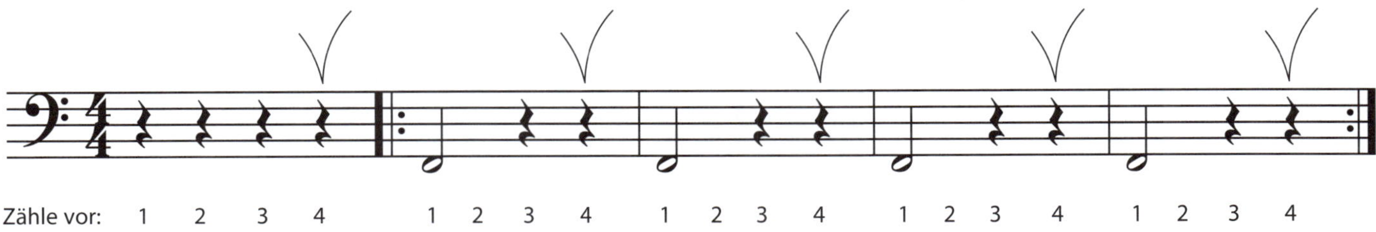

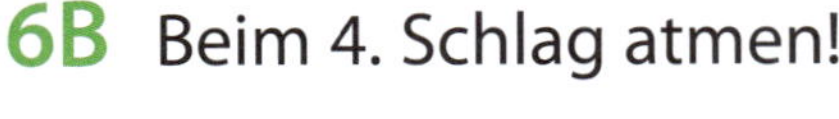

6B Beim 4. Schlag atmen!

Fermate (=Haltezeichen)

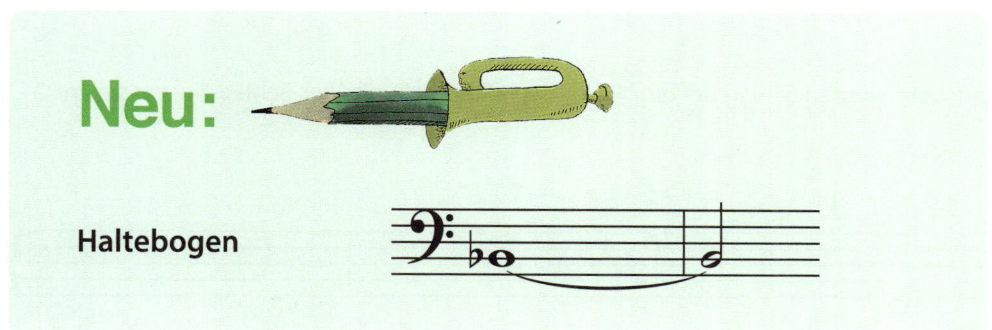

7F Ganze Note + Halbe Note + Haltebogen

8F 4 + 2 Schläge aushalten

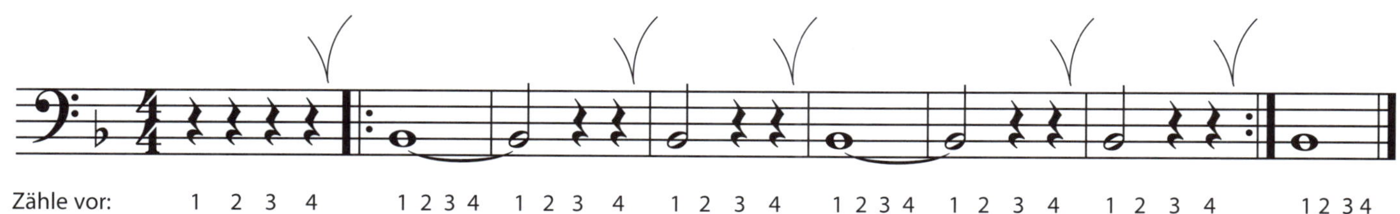

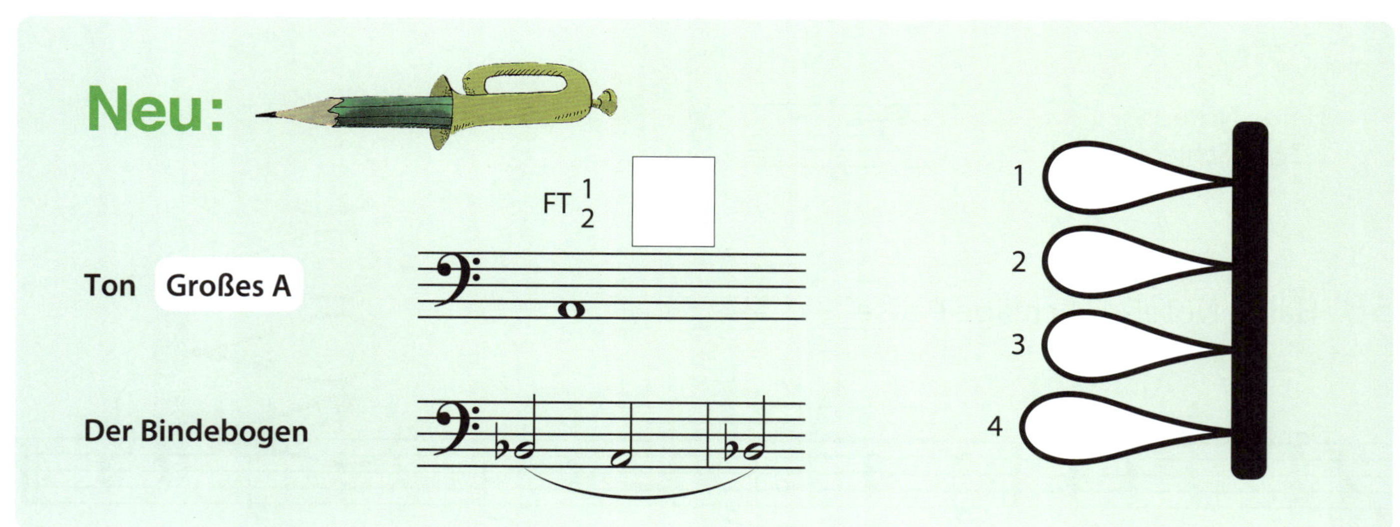

9F Unser zweiter Ton A

03 Playback

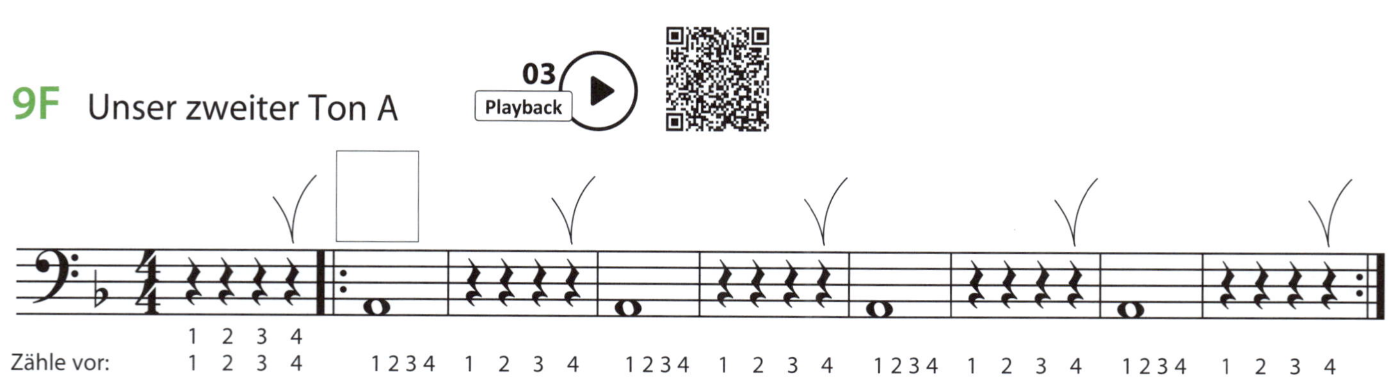

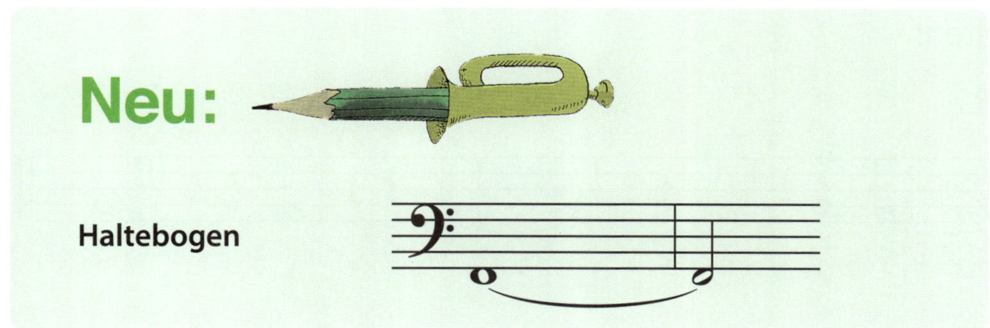

7B Ganze Note + Halbe Note + Haltebogen

Zähle vor: 1 2 3 4 1 2 3 4 1 2 3 4 1 2 3 4 1 2 3 4

8B 4 + 2 Schläge aushalten

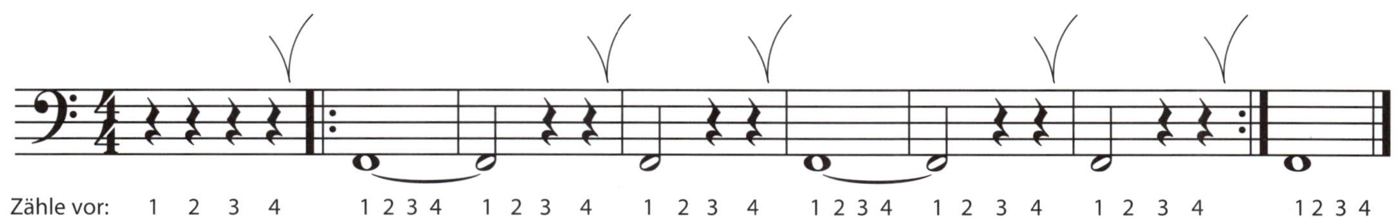

Zähle vor: 1 2 3 4 1 2 3 4 1 2 3 4 1 2 3 4 1 2 3 4 1 2 3 4 1 2 3 4 1 2 3 4

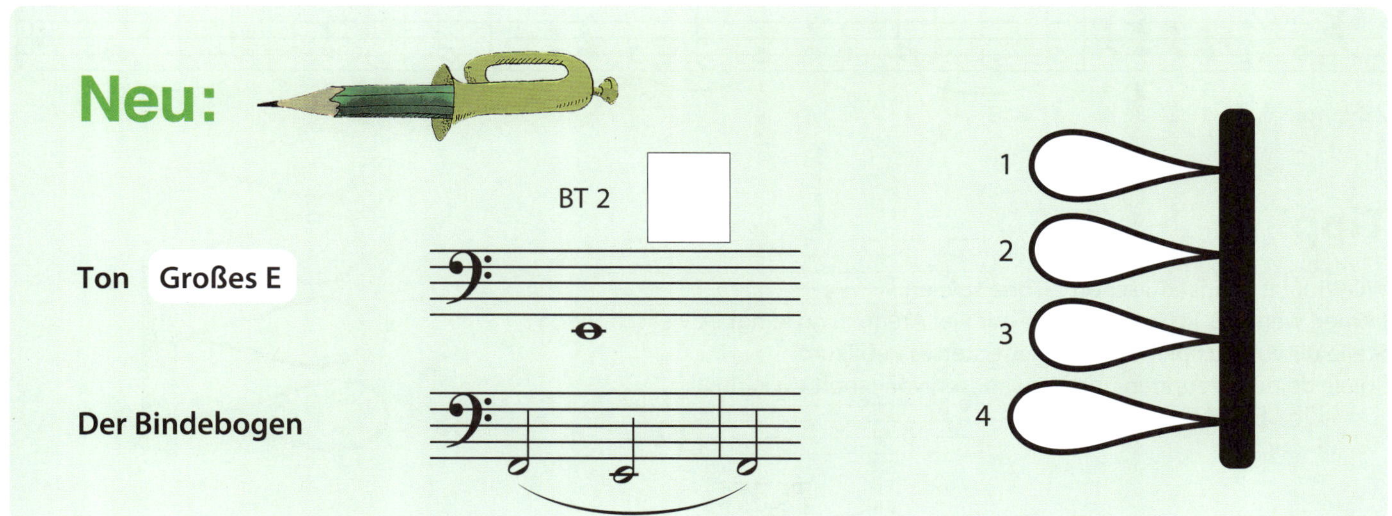

9B Unser zweiter Ton E

04 Playback

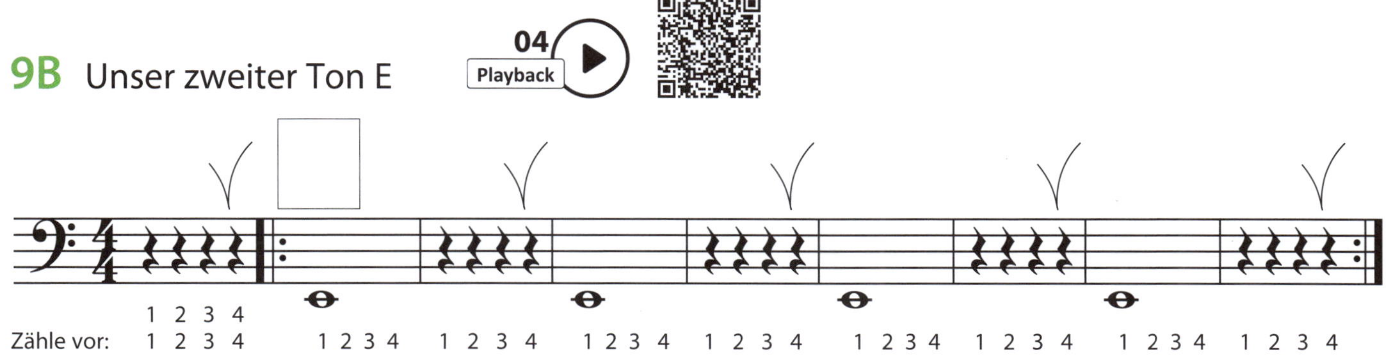

1 2 3 4
Zähle vor: 1 2 3 4 1 2 3 4 1 2 3 4 1 2 3 4 1 2 3 4 1 2 3 4 1 2 3 4 1 2 3 4 1 2 3 4

10F 4 + 2 Schläge aushalten!

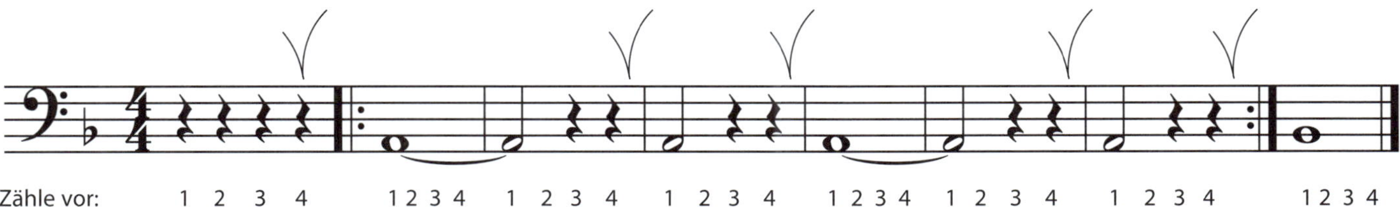

Zähle vor: 1 2 3 4 | 1 2 3 4 | 1 2 3 4 | 1 2 3 4 | 1 2 3 4 | 1 2 3 4 | 1 2 3 4 | 1 2 3 4

11F Aufgepasst! Jetzt kommen 2 Töne!

1 2 3 4
Zähle vor: 1 2 3 4 | 1 2 3 4 | 1 2 3 4 | 1 2 3 4 | 1 2 3 4 | 1 2 3 4 | 1 2 3 4 | 1 2 3 4 | 1 2 3 4

12F Tuba-Panther

1 2 3 4
Zähle vor: 1 2 3 4 | 1 2 3 4 | 1 2 3 4

Tipp!

WOW! Jetzt kannst du schon 2 Töne spielen.
Immer, wenn du losspielst, spiele mit viel Atem, dann klingt es viel schöner.
Stelle dir vor, du spielst für ein begeistertes Publikum!
Spiele deinen Freunden und Verwandten vor - sooft du kannst!

13F Mal so, mal so

Wer es schafft, spielt den langen, gestrichelten Bogen!

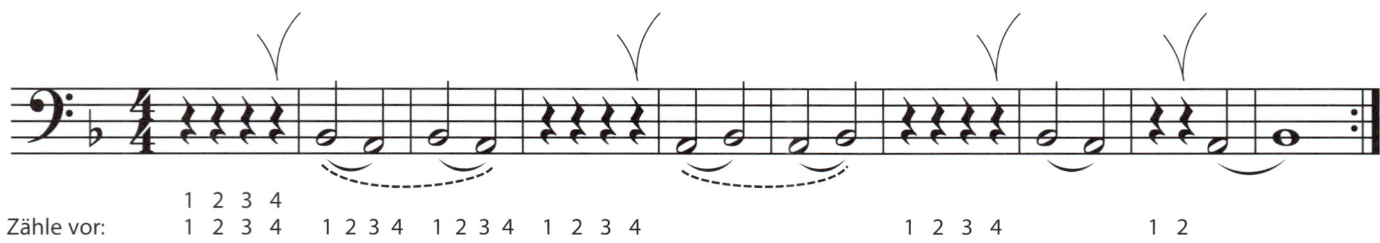

1 2 3 4
Zähle vor: 1 2 3 4 | 1 2 3 4 | 1 2 3 4 | 1 2 3 4 | 1 2 3 4 | 1 2

10B 4 + 2 Schläge aushalten!

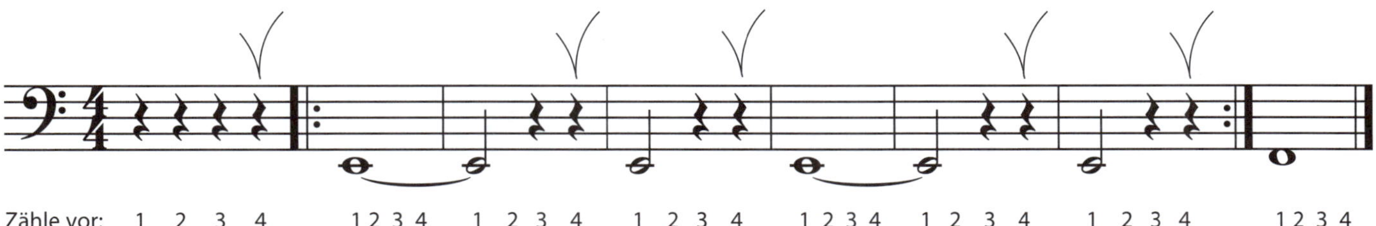

11B Aufgepasst! Jetzt kommen 2 Töne!

12B Tuba-Panther

13B Mal so, mal so

Wer es schafft, spielt den langen, gestrichelten Bogen!

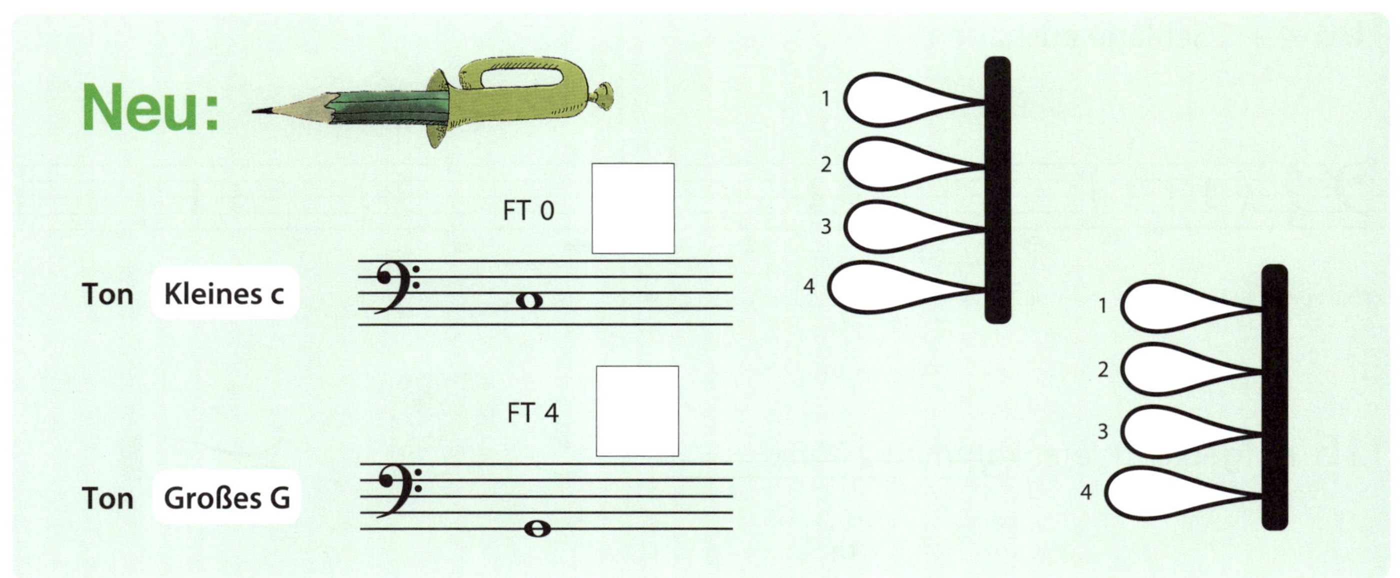

14F Neu: Ton c (Naturton, ohne Ventile)

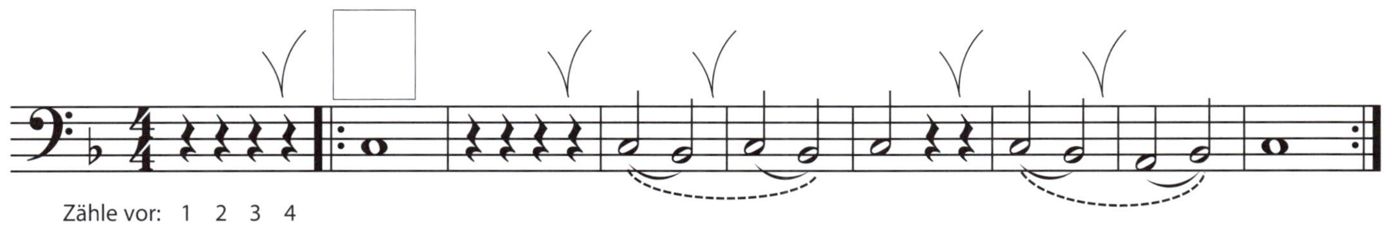

15F Kennst du die Notennamen?

16F Kleines Lied

11 Playback

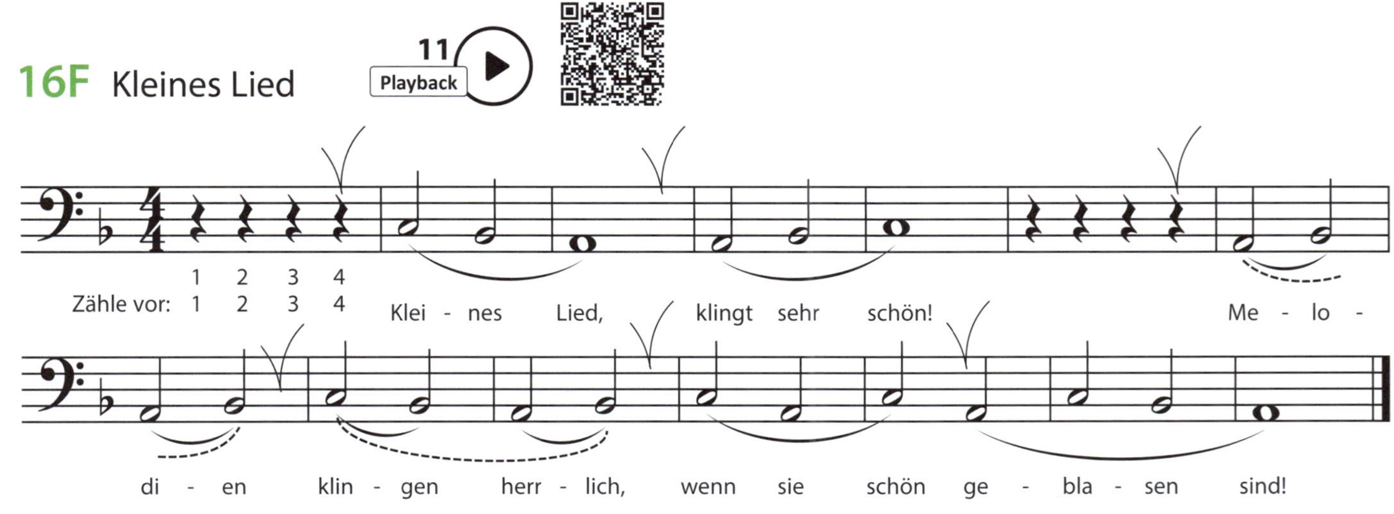

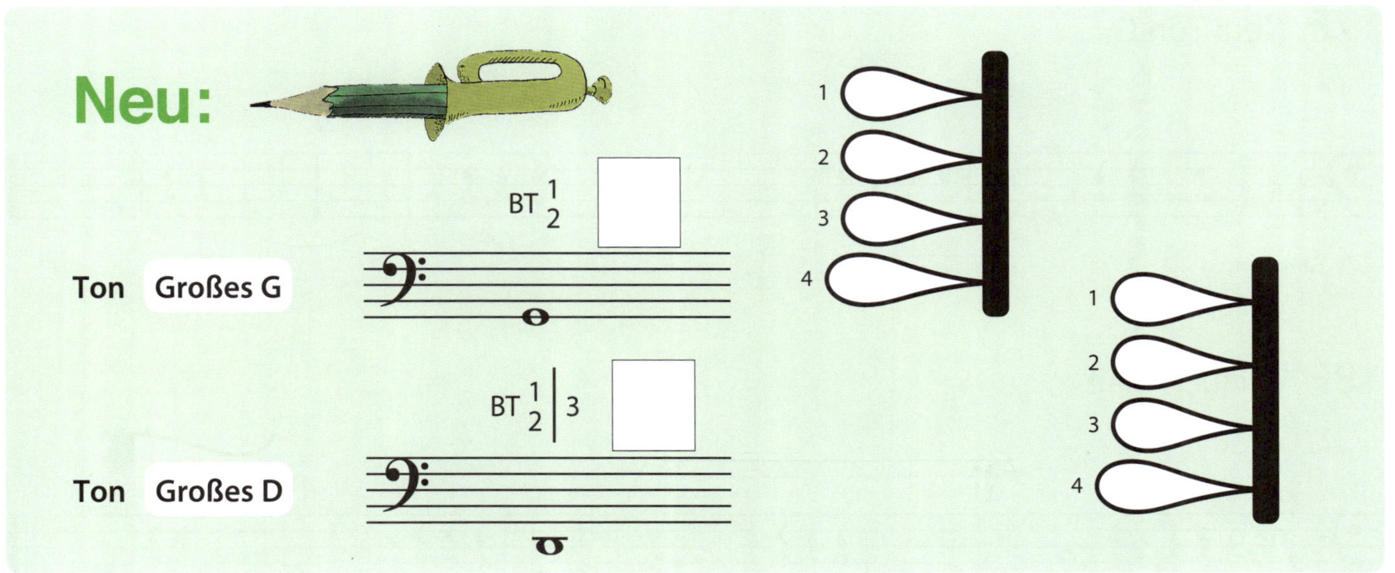

14B Neu: Ton G

15B Kennst du die Notennamen?

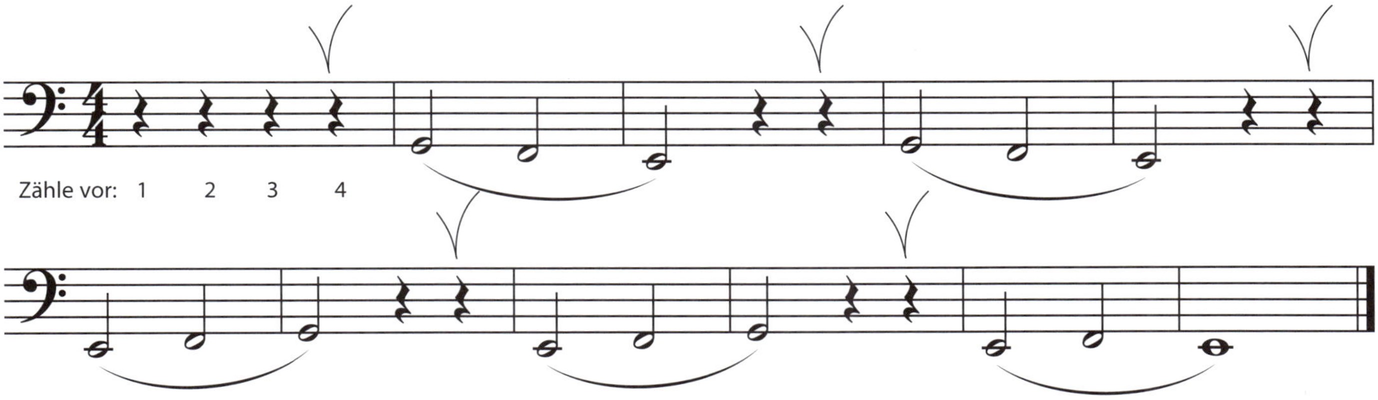

Zähle vor: 1 2 3 4

16B Kleines Lied

12 Playback

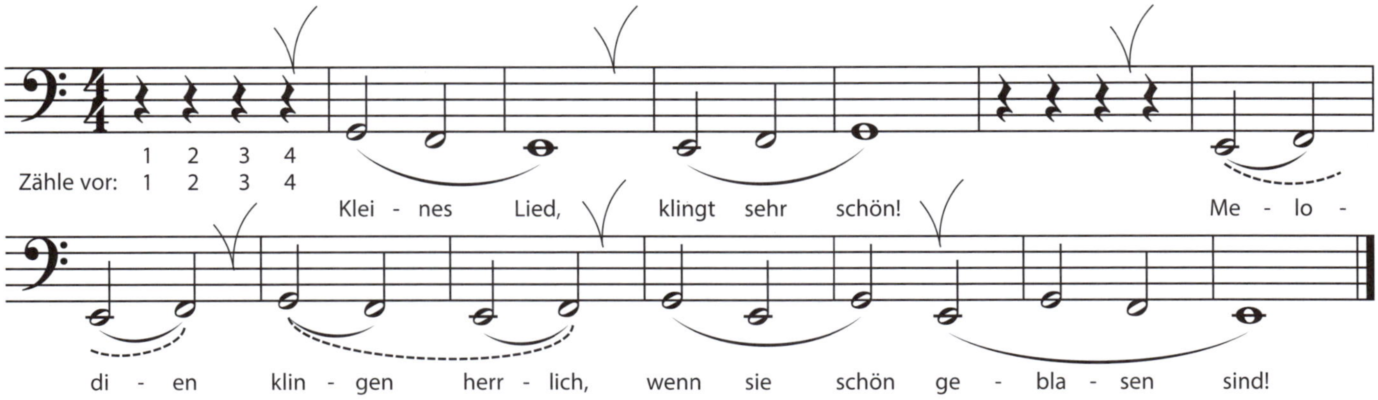

1 2 3 4
Zähle vor: 1 2 3 4

Klei - nes Lied, klingt sehr schön! Me - lo - di - en klin - gen herr - lich, wenn sie schön ge - bla - sen sind!

17F Neu: Ton G

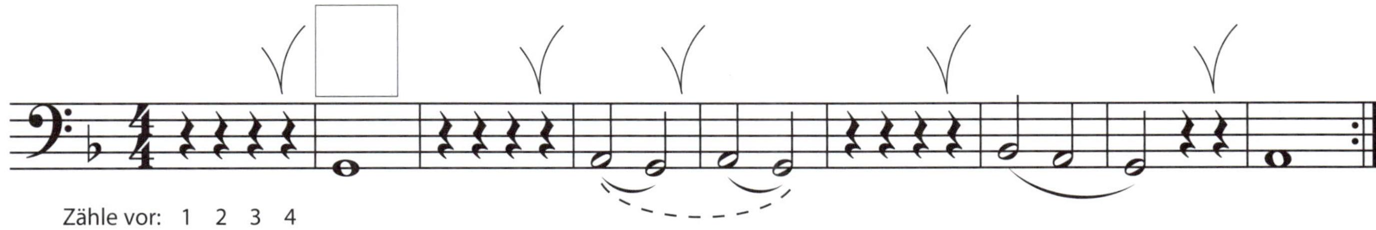

18F Versuch mal!

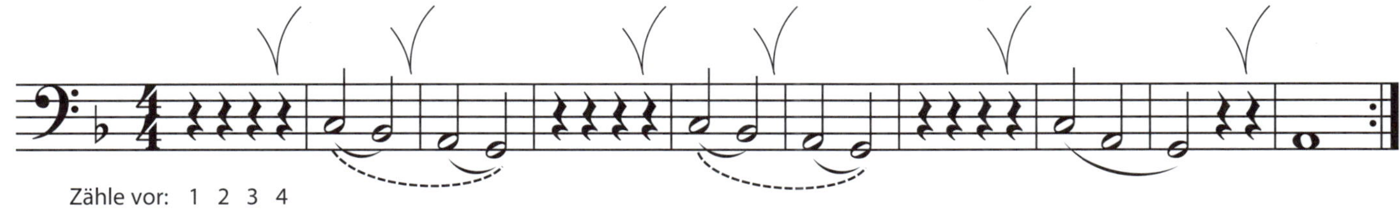

Tipp!

Liebe junge Tuba Füchse!
Ab jetzt heißt es: **Atemzeichen selber setzen!**

Wenn ihr mitten in der Melodie atmen müsst: Verkürzt die Note davor um einen Schlag!

19F Jippi-Jea!

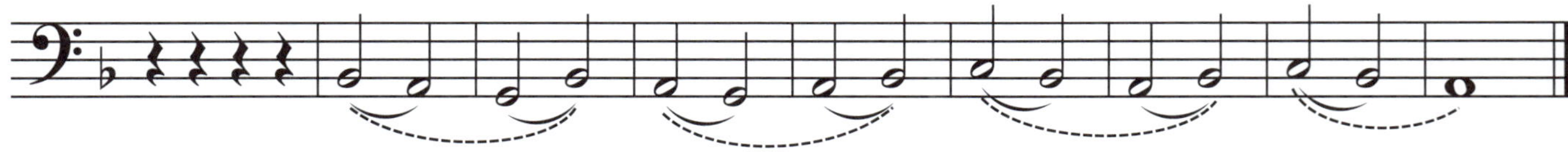

20F Seufzer Lied

17B Neu: Ton D

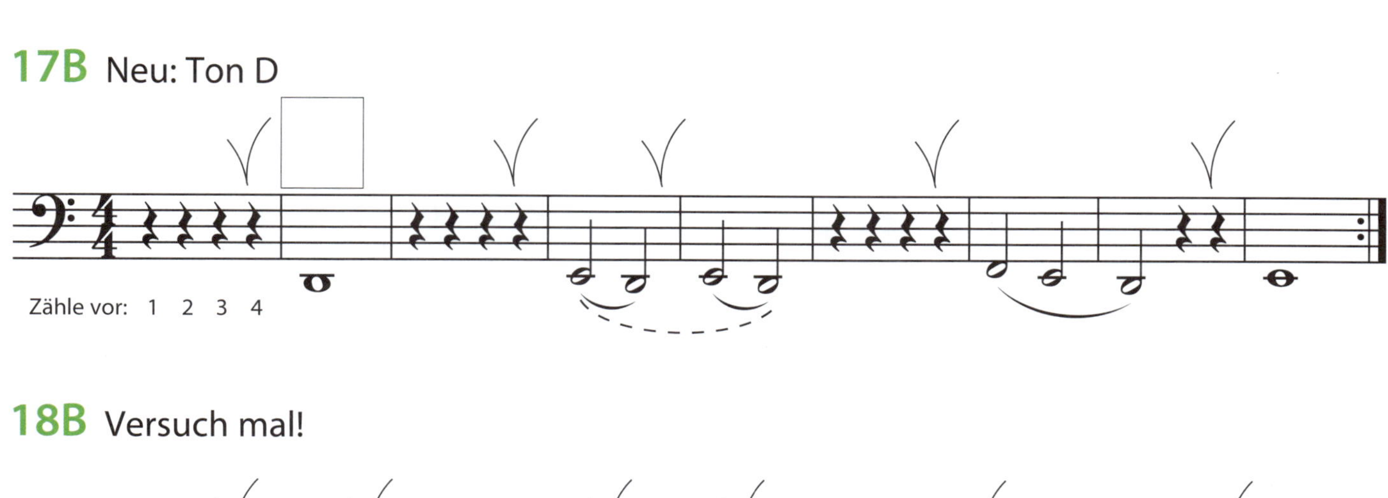

18B Versuch mal!

19B Jippi-Jea!

20B Seufzer Lied

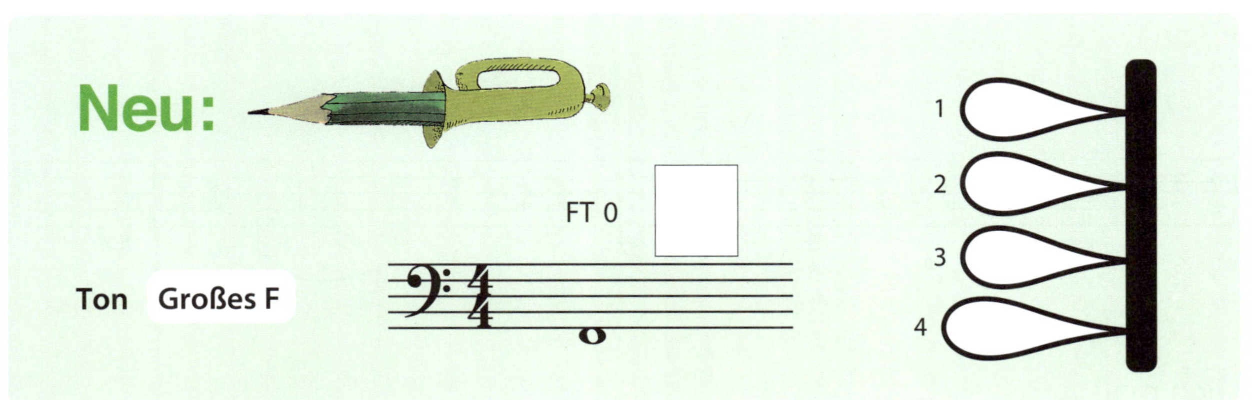

21F Neu: Ton F (Naturton)

22F Freche Buben

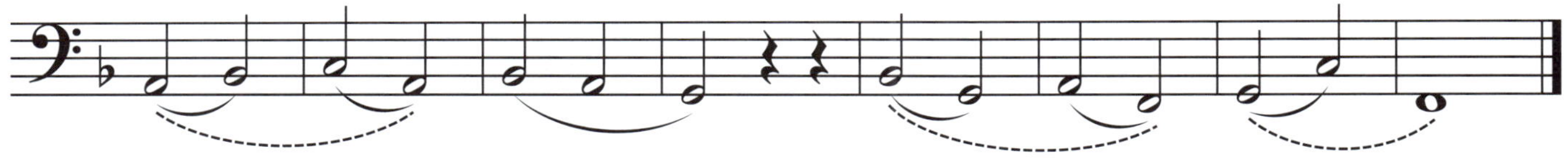

23F Die erste Tonleiter (Wie heißen die Töne?)

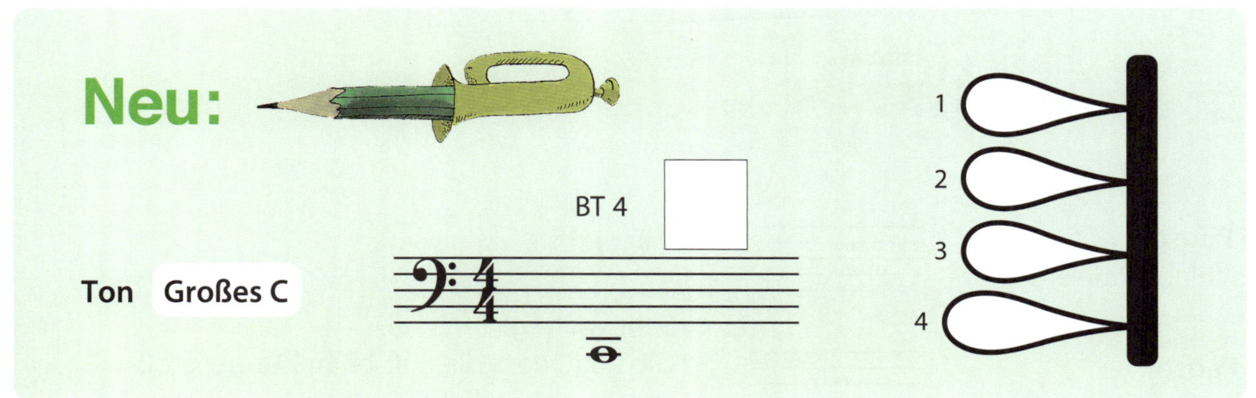

21B Neu: Ton C

22B Freche Buben

23B Die erste Tonleiter (Wie heißen die Töne?)

Neu: 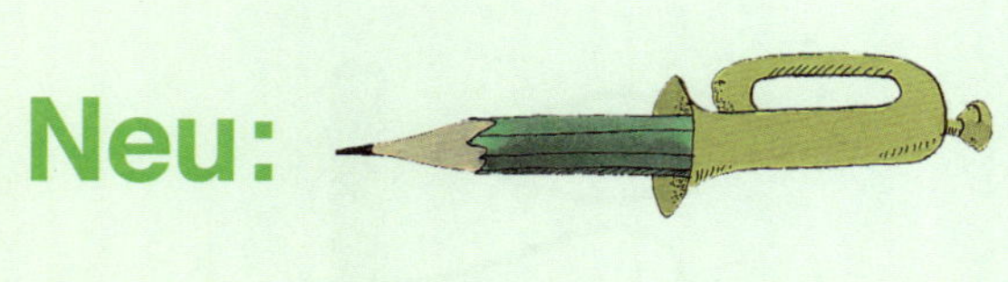

Ganze Pause
(„Vier-Schlag"-Pausen)

Halbe Pause
(„Zwei-Schlag"-Pausen)

Der „Zungenstoß"
(= Das Trennen der Töne mit der Zunge)

Tipp!

Sehr wichtig!
Gib acht, dass die Luft beim Zungenstoß immer weiter fließt!

Der Zungenstoß

Das klingt etwa so:

düüüüüüüüüüüüüüüüüüüüüüüü

Und das klingt etwa so:

düüü düüü düüü düüü

24F Stoß - los!

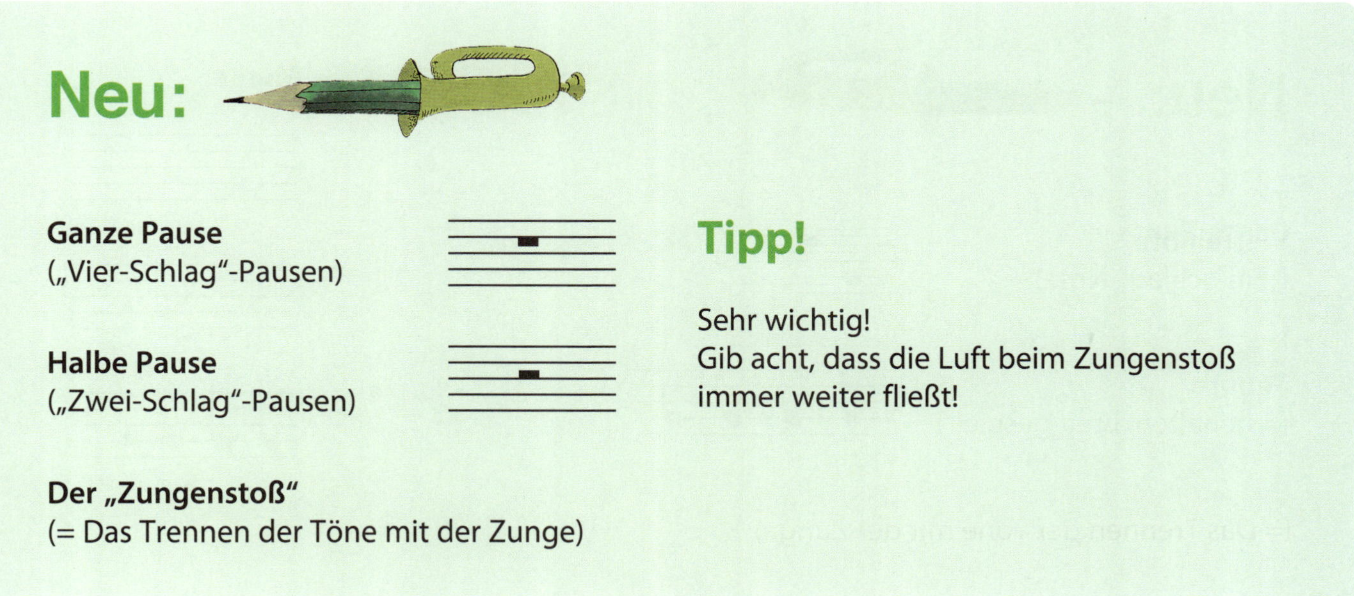

Neu:

Ganze Pause
(„Vier-Schlag"-Pausen)

Halbe Pause
(„Zwei-Schlag"-Pausen)

Der „Zungenstoß"
(= Das Trennen der Töne mit der Zunge)

Tipp!

Sehr wichtig!
Gib acht, dass die Luft beim Zungenstoß immer weiter fließt!

Der Zungenstoß

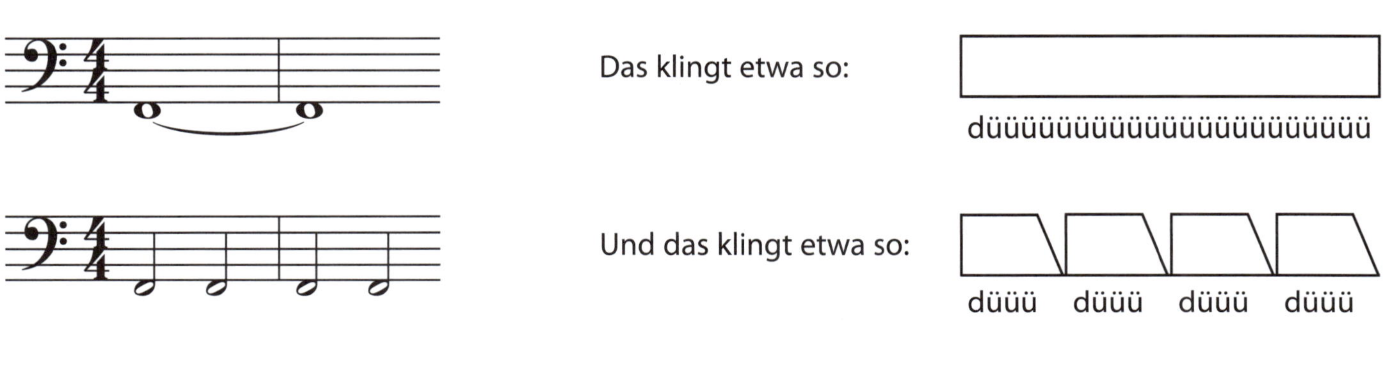

24B Stoß - los!

Tipp!

Stoßen ist super!
Mache immer nur ganz kleine Zungenbewegungen und lass die Luft beim Stoßen immer weiter fließen. Dein Lehrer spielt dir das sicher gerne vor.

25F Der Tanzbär

26F Zähneputzen

Aufgabe: Ergänze die fehlenden Taktstriche!

27F Kosaken-Marsch singen - spielen!

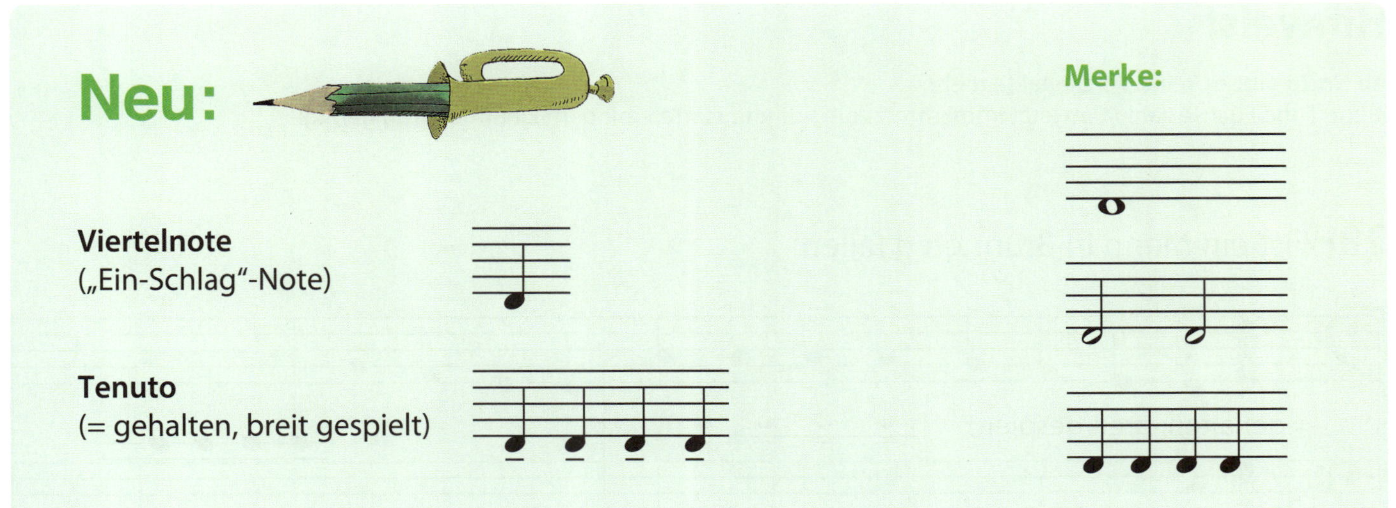

Neu:

Merke:

Viertelnote
(„Ein-Schlag"-Note)

Tenuto
(= gehalten, breit gespielt)

25B Der Tanzbär

Zähle vor: 1 2 3 4
simile

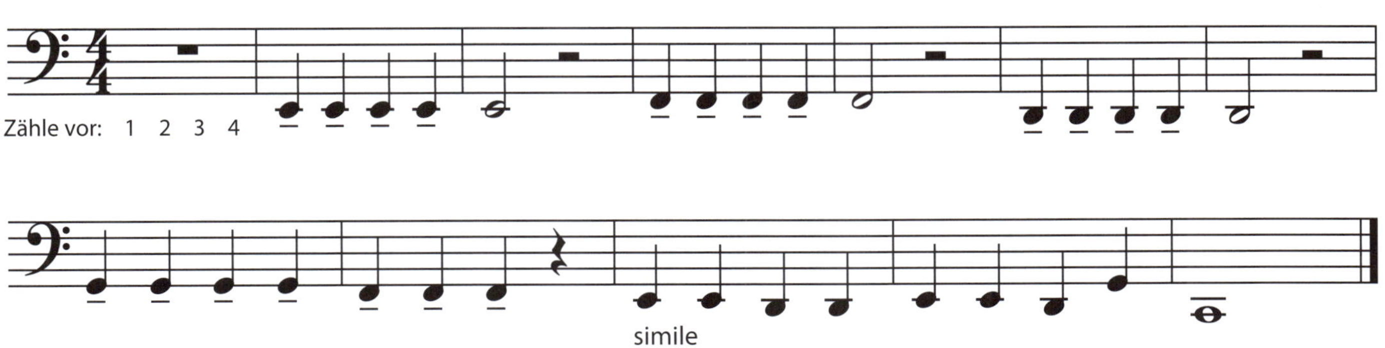

26B Zähneputzen

Aufgabe: Ergänze die fehlenden Taktstriche!

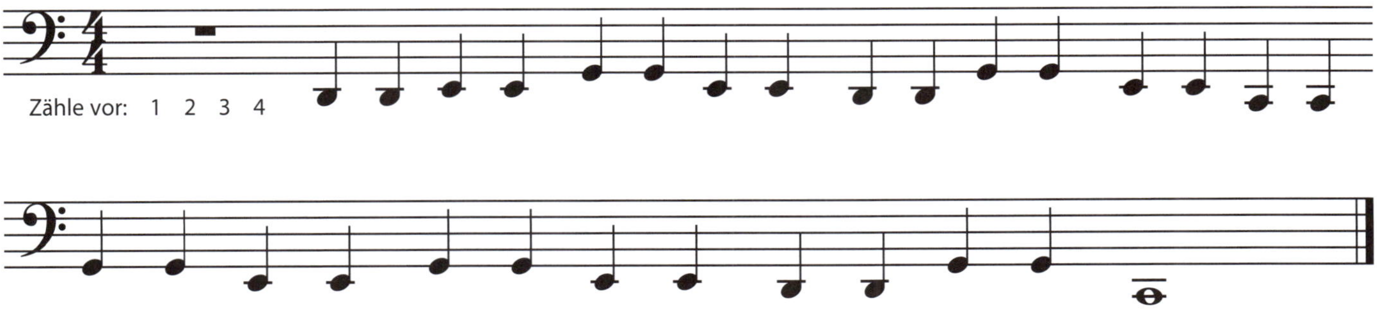

Zähle vor: 1 2 3 4

27B Kosaken-Marsch singen - spielen!

18 Playback

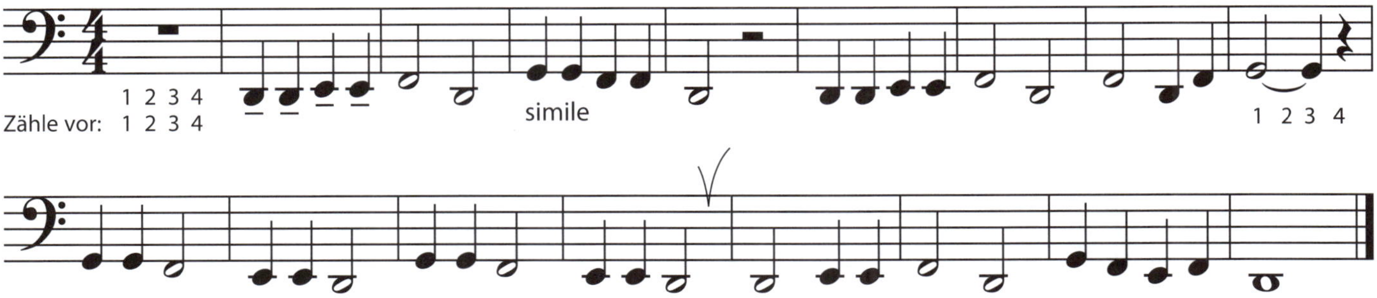

1 2 3 4
Zähle vor: 1 2 3 4
simile
1 2 3 4

Hinweis!

Ab Nr. 28 gibt es keine Vorzähltakte mehr.
Kluge Tuba Füchse zählen ab jetzt immer trotzdem vor und starten mit dem Einatmen früh genug!

28F Ist ein Mann in Brunnen g'fallen!

29F Zizipe

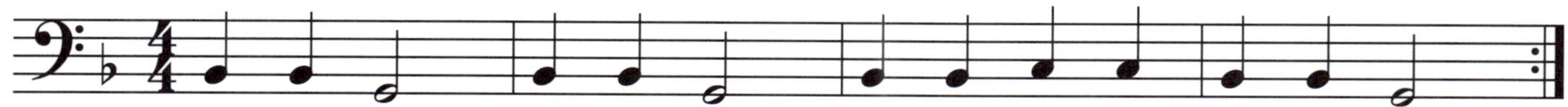

30F Hänschen Klein

Volkslied

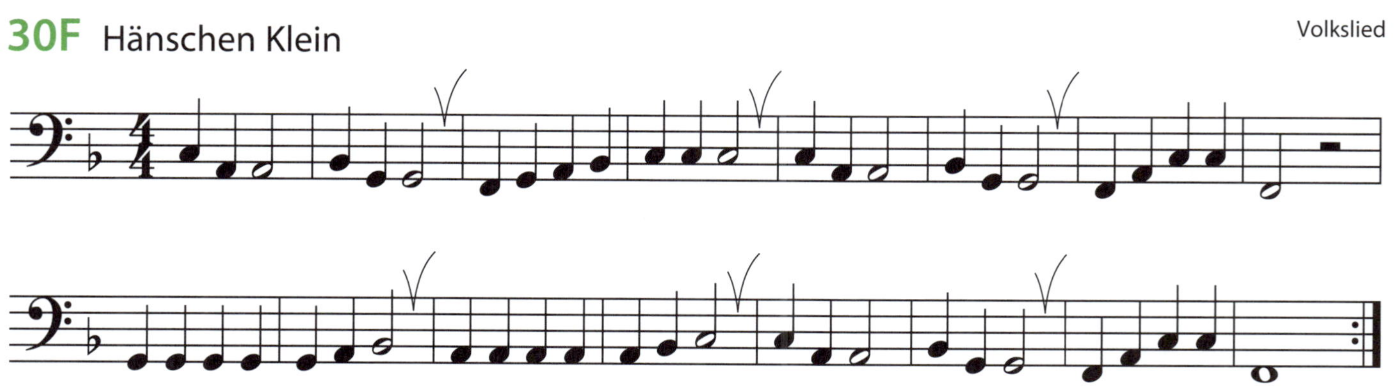

31F Finger-Akrobatik

28B Ist ein Mann in Brunnen g'fallen!

29B Zizipe

30B Hänschen Klein

Volkslied

31B Finger-Akrobatik

32F Spiel mal 'ne Tonleiter!

1 2 3 4

Neu:

Die Dreiviertel-Note
(„Drei-Schlag"-Note)

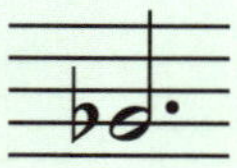

Der „Drei-Viertel"-Takt
(= Walzer Takt)

f bedeutet **forte** (= laut)

p bedeutet **piano** (= leise)

33F A, B, C - Das ist ganz leicht, juchee!

32B Spiel mal 'ne Tonleiter!

1 2 3 4

Neu:

Die Dreiviertel-Note
(„Drei-Schlag"-Note)

Der „Drei-Viertel"-Takt
(= Walzer Takt)

f bedeutet **forte** (= laut)

p bedeutet **piano** (= leise)

33B A, B, C - Das ist ganz leicht, juchee!

34F Hört ihr die Drescher?

35F Berg - Echo!

36F Kuckuck

19 Playback

34B Hört ihr die Drescher?

Zähle vor: 1 2 3
1 2 3
1 2 3
1 2 3

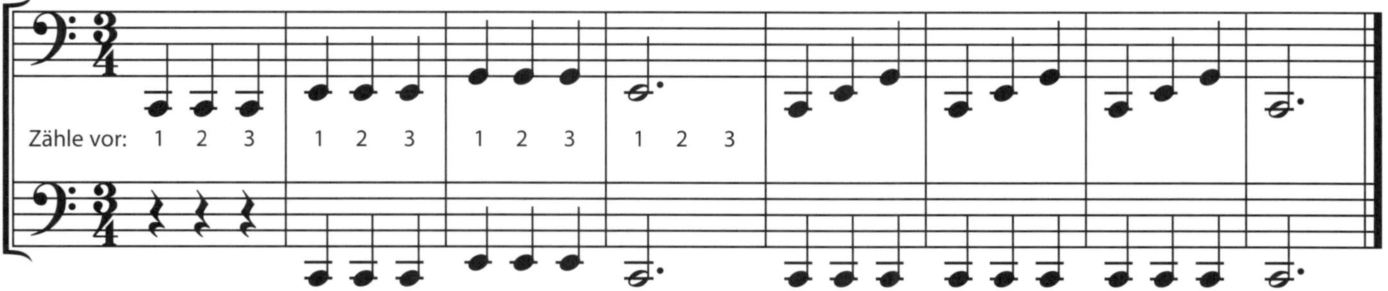

35B Berg - Echo!

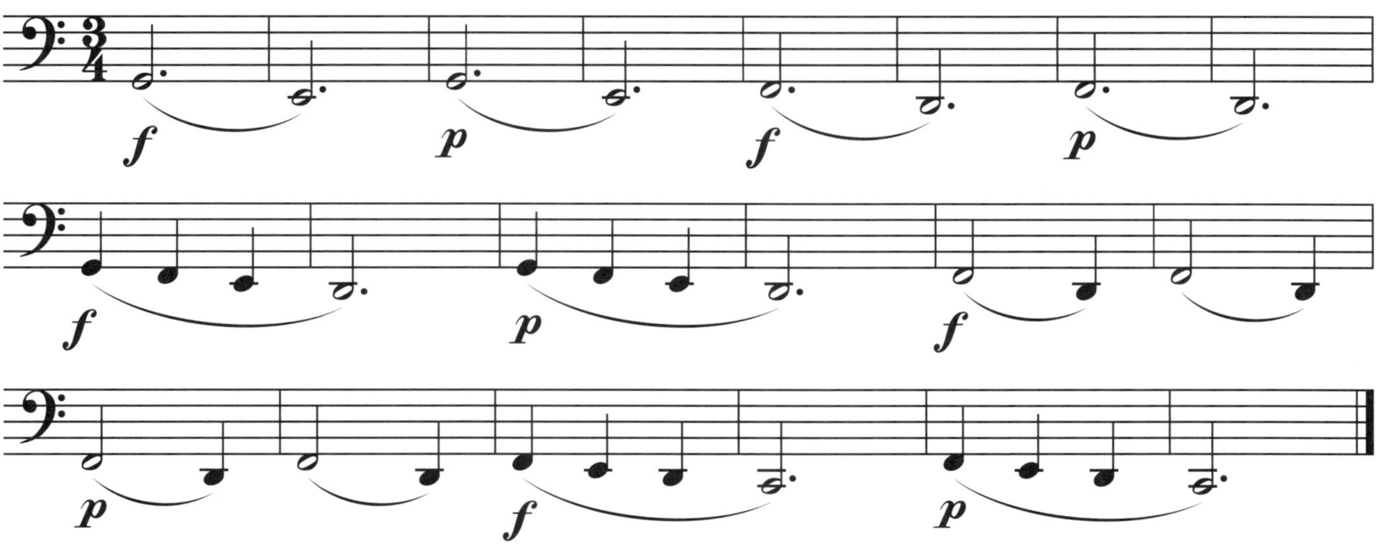

f
p
f
p
f
p
f
p
f
p

36B Kuckuck

20 Playback

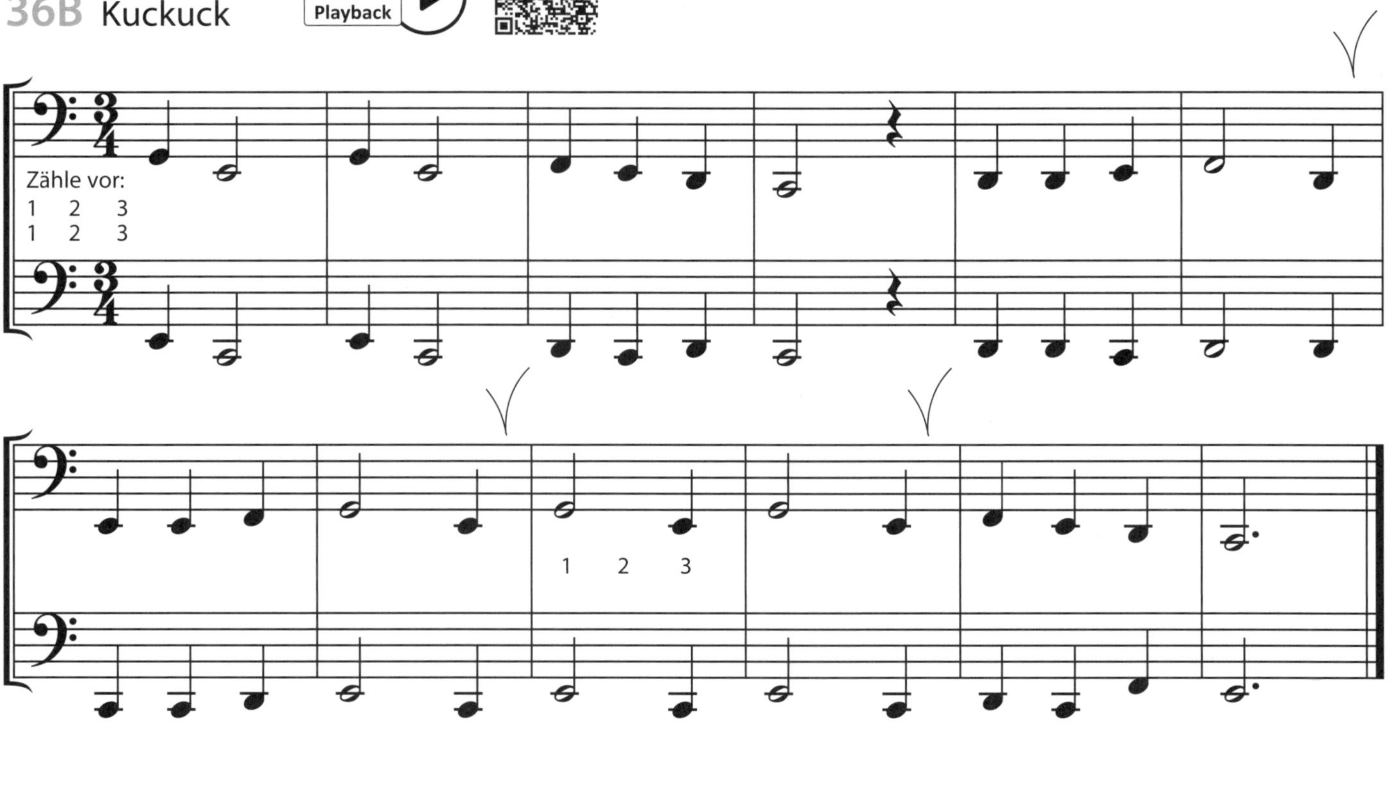

Zähle vor:
1 2 3
1 2 3
1 2 3

Einspiel-Session 1

Hallo Tuba Fuchs!
Bevor du so richtig loslegst, solltest du dich immer **aufwärmen** - bzw. **einspielen**.

Hier ein paar Vorschläge:
Verwende diese Einspiellieder mehrere Wochen lang!

Füchse spielen sich ein!

Einspiel-Melodie 1

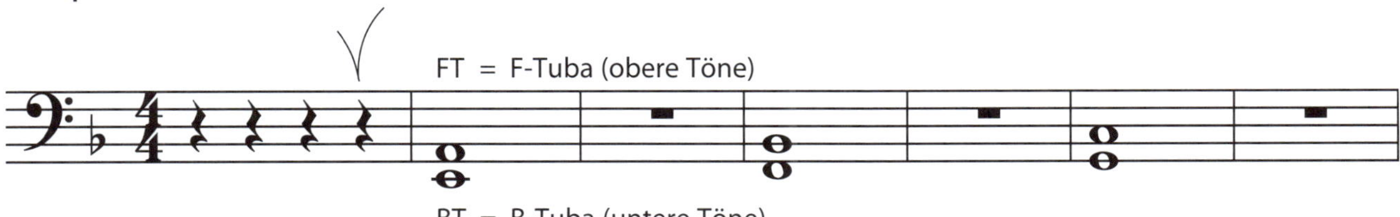

Einspiel-Melodie 2

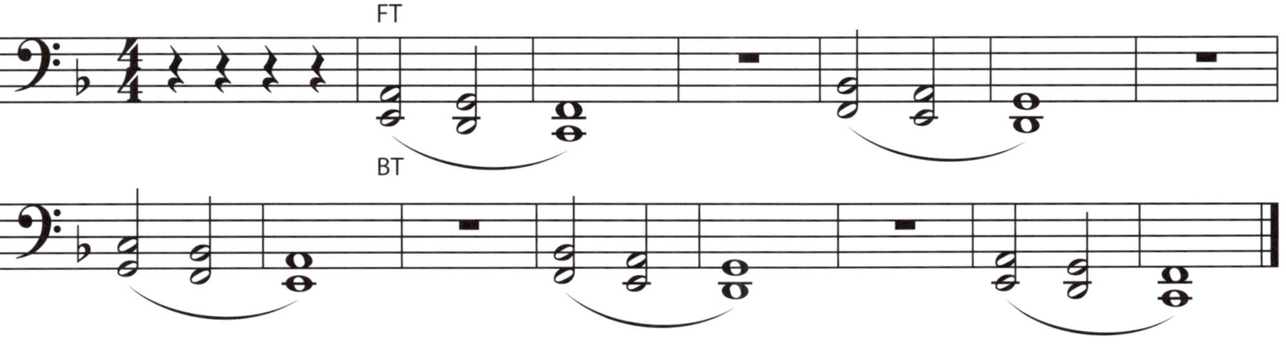

Einspiel-Melodie 3

Erfinde ein Einspiellied! Auf der folgenden Seite hast du Gelegenheit dazu!

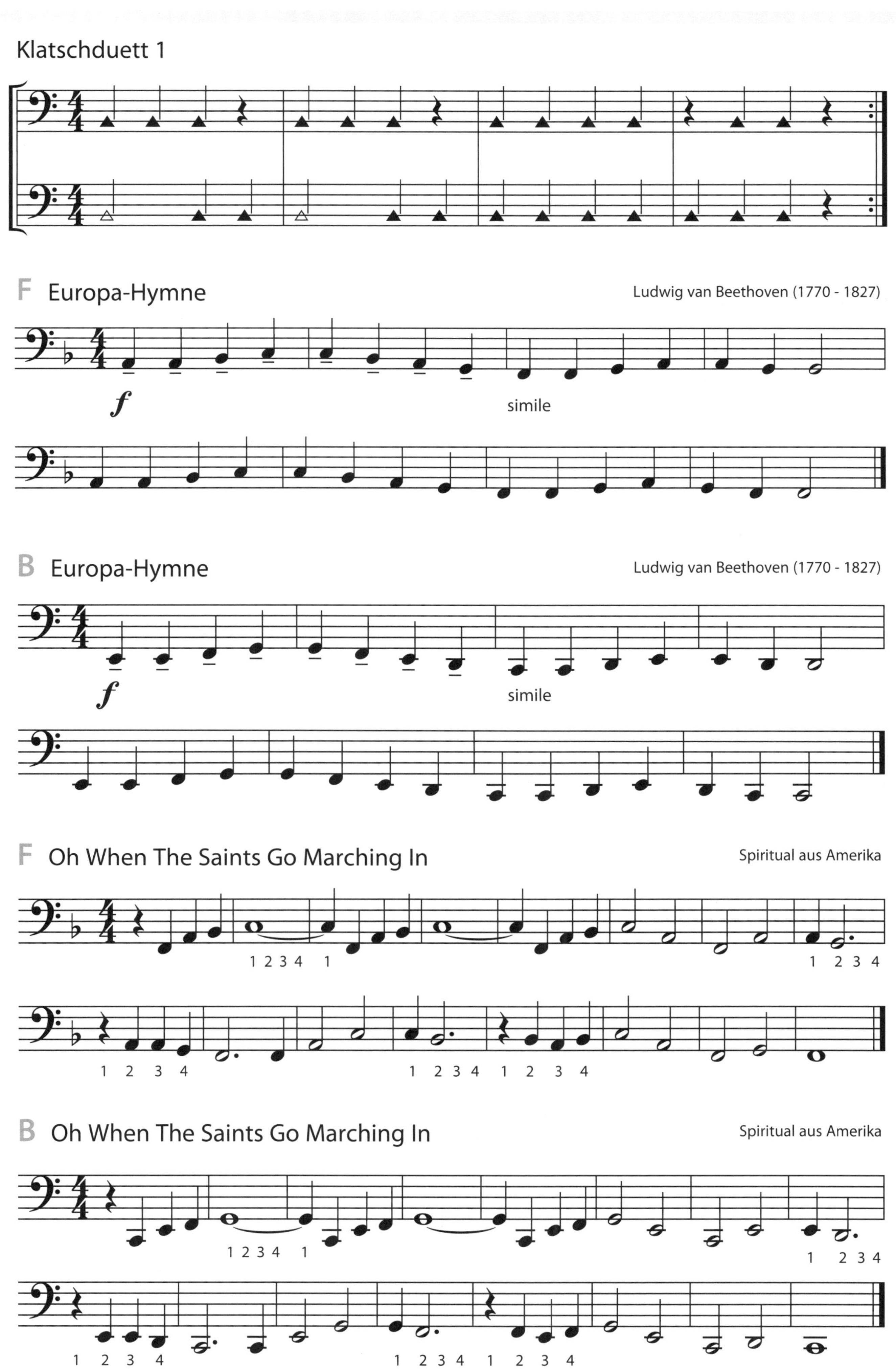
Klatschduett 1
F Europa-Hymne
Ludwig van Beethoven (1770 - 1827)
f
simile
B Europa-Hymne
Ludwig van Beethoven (1770 - 1827)
f
simile
F Oh When The Saints Go Marching In
Spiritual aus Amerika
1 2 3 4 1
1 2 3 4
1 2 3 4
1 2 3 4 1 2 3 4
B Oh When The Saints Go Marching In
Spiritual aus Amerika
1 2 3 4 1
1 2 3 4
1 2 3 4
1 2 3 4 1 2 3 4

37F Summ, summ, summ, Bienchen summ herum!

Volkslied

38F Cowboy-Song

21 Playback

Stefan Dünser

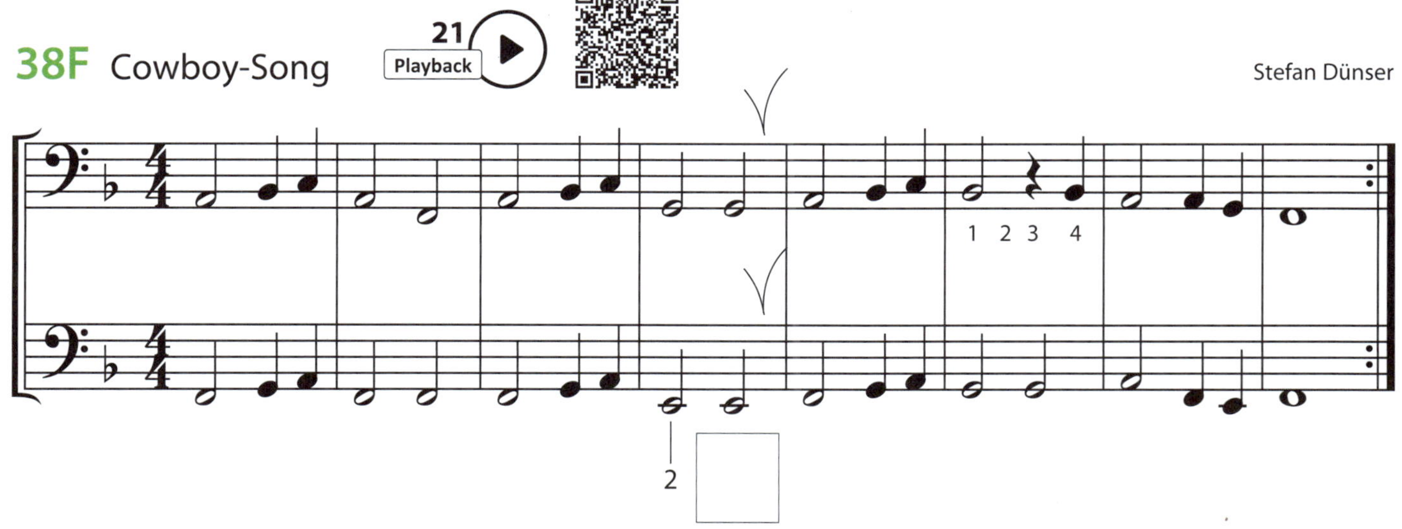

Tipp!

Hey Tuba Cowboy!
Du spielst immer gut, wenn du mit viel Schwung spielst. Versuche immer mit viel Luft und viel Ton zu spielen! Und LOS!

Variation 1

Variation 2

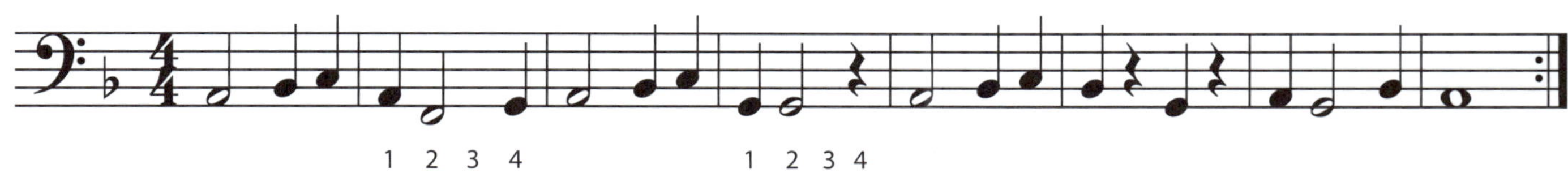

37B Summ, summ, summ, Bienchen summ herum!

Volkslied

38B Cowboy-Song

22 Playback

Stefan Dünser

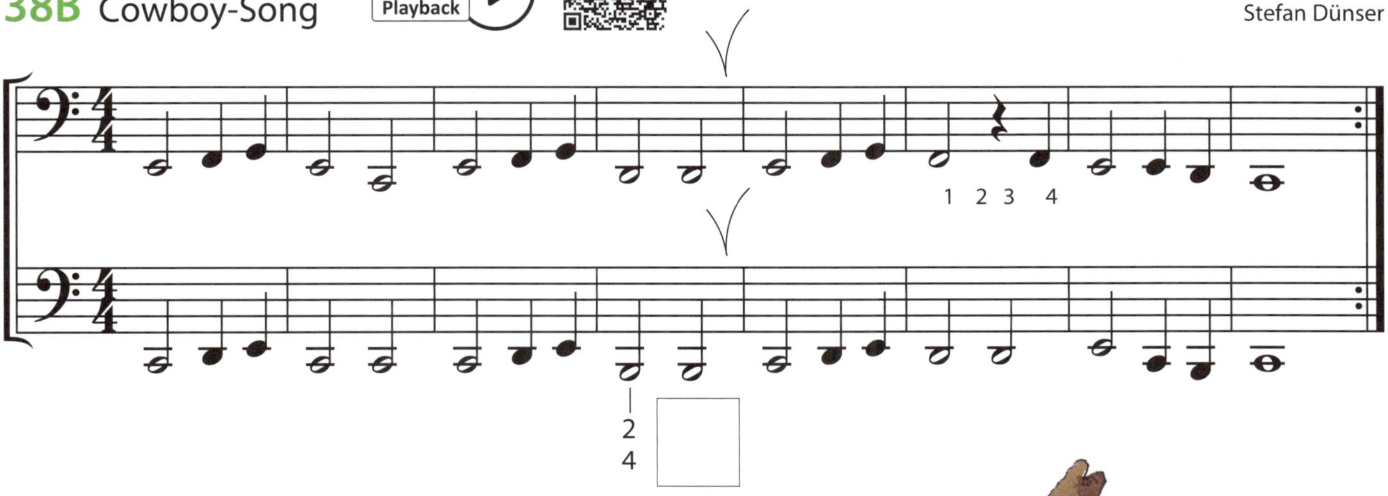

Variation 1

Variation 2

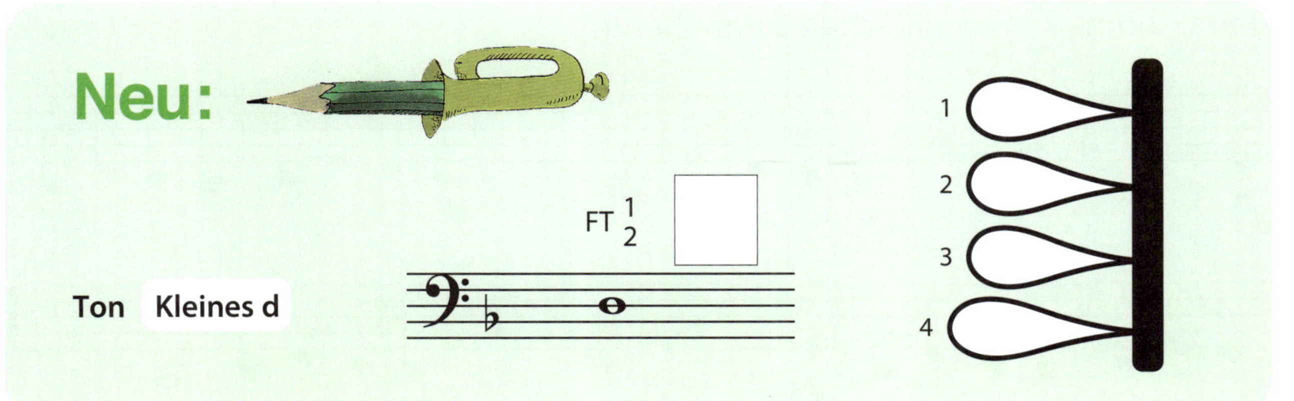

39F Käsespätzle für zwei

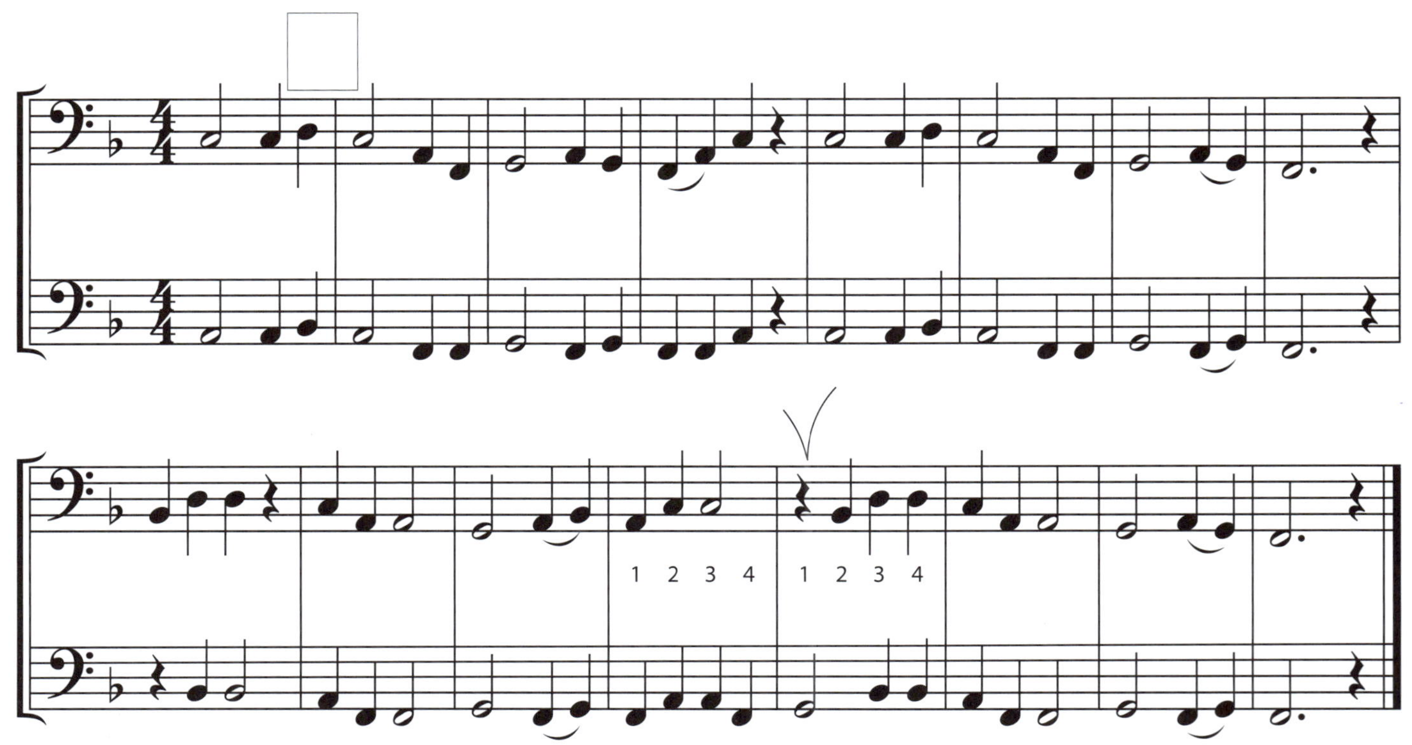

Spielanleitung Duell

Bei diesem und allen folgenden Duellen gilt folgende Regel:
Jeder Spieler hat drei „Leben“. Bei jedem kleinsten Fehler verliert derjenige, welcher ihn gemacht hat, ein „Leben“. Lehrer dürfen gar keinen Fehler machen. Wer bleibt am Schluss als Sieger übrig? Wer „kiekst“ darf dieses Duell noch mal 'ne Woche lang spielen!

40F Duell

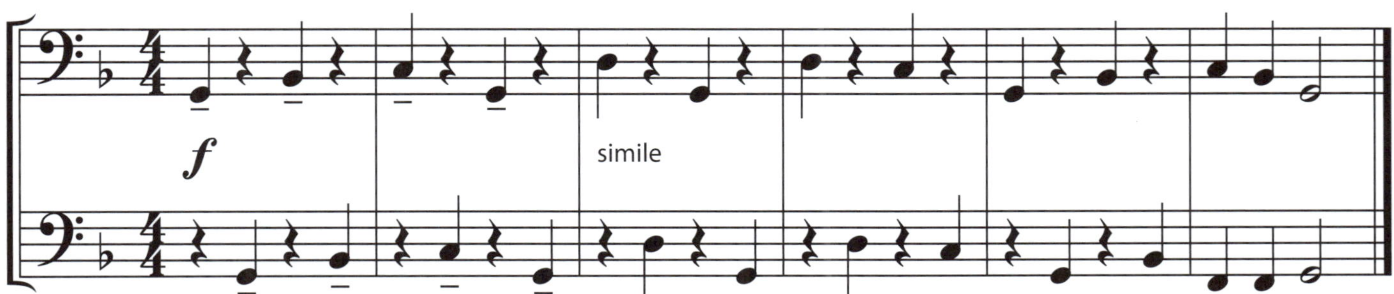

Neu:

BT 2

1
2
3
4

Ton Großes A

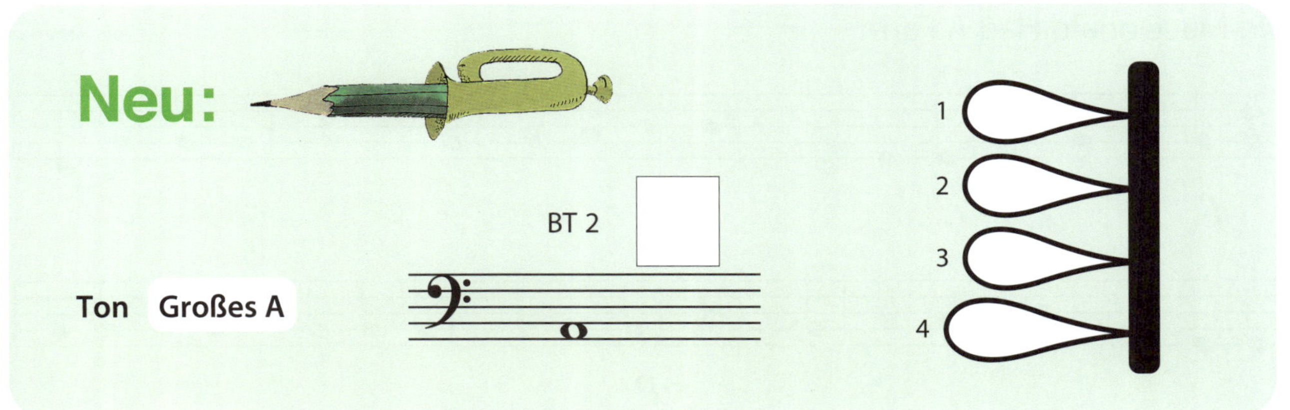

39B Käsespätzle für zwei

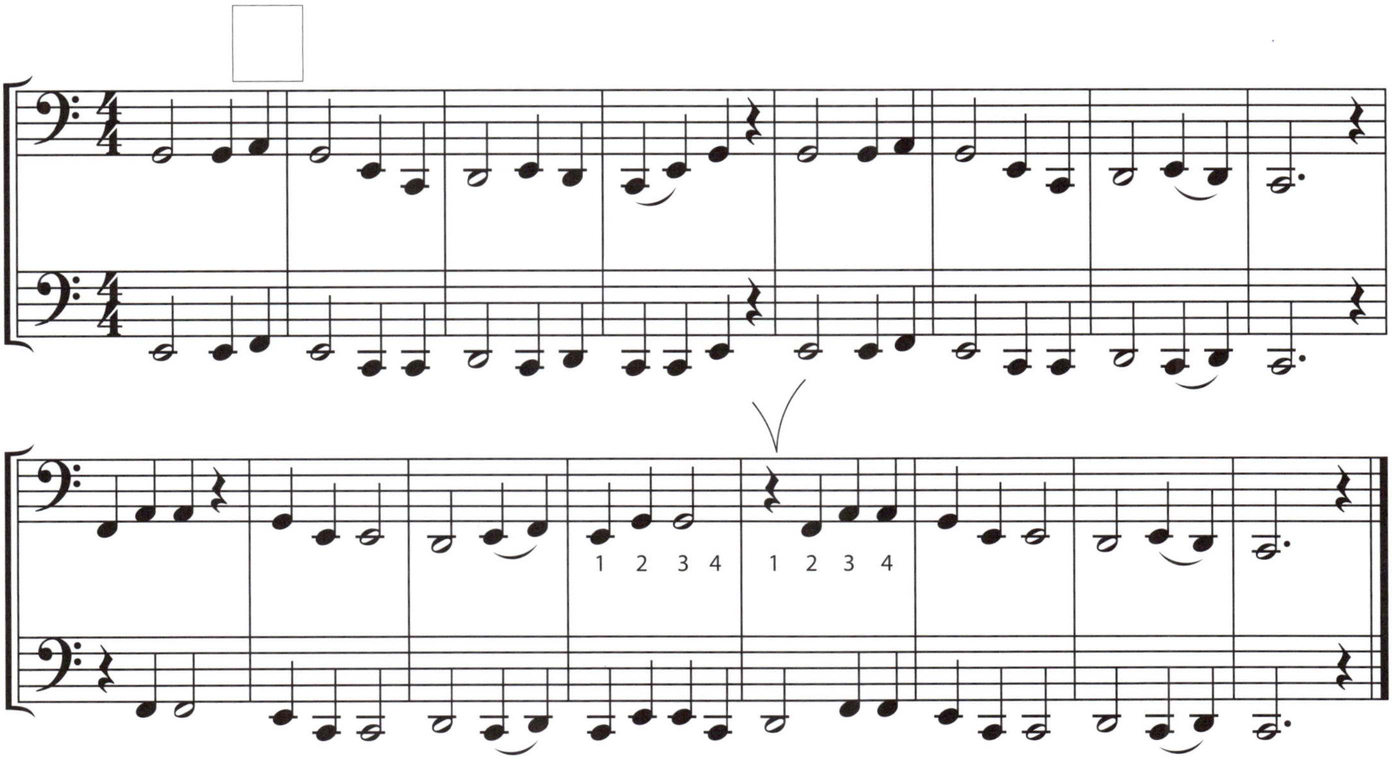

1 2 3 4
1 2 3 4

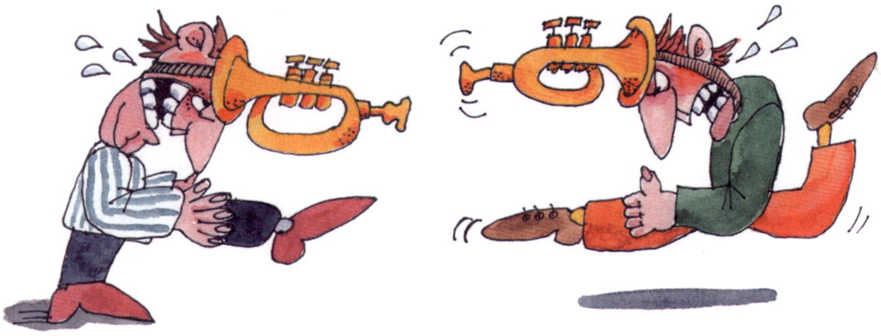

40B Duell

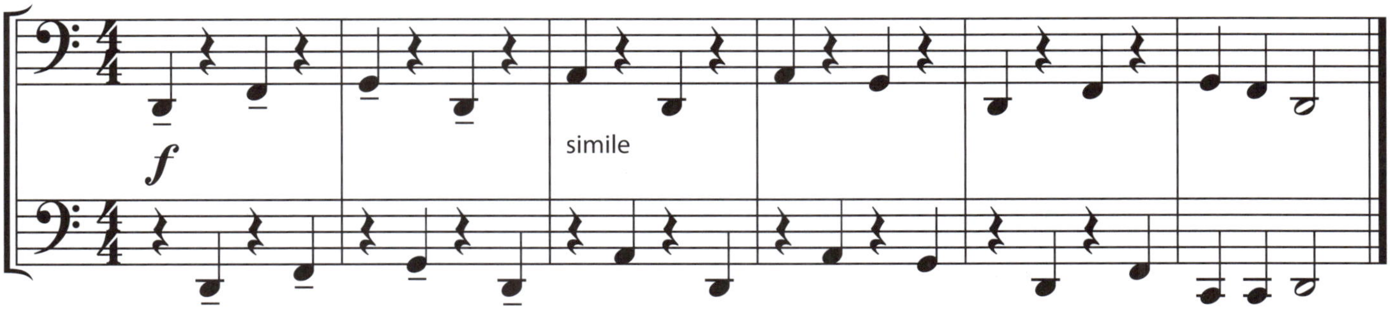

f
simile

41F Old MacDonald Had A Farm

aus Amerika

f *p* *f*

Neu:

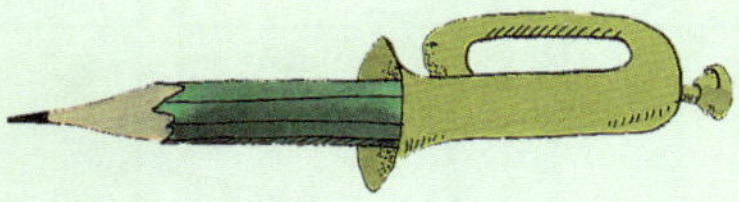

FT 2

Ton Großes E

1 2 3 4

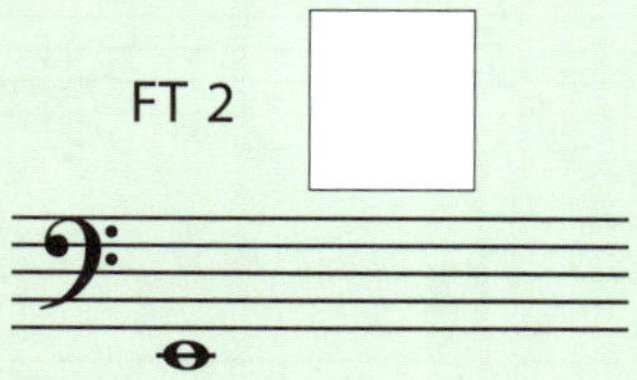

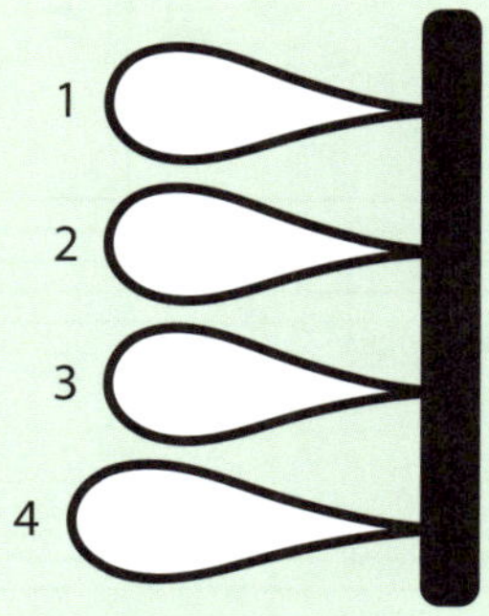

42F Etüde

23 Playback langsam

24 Playback schnell

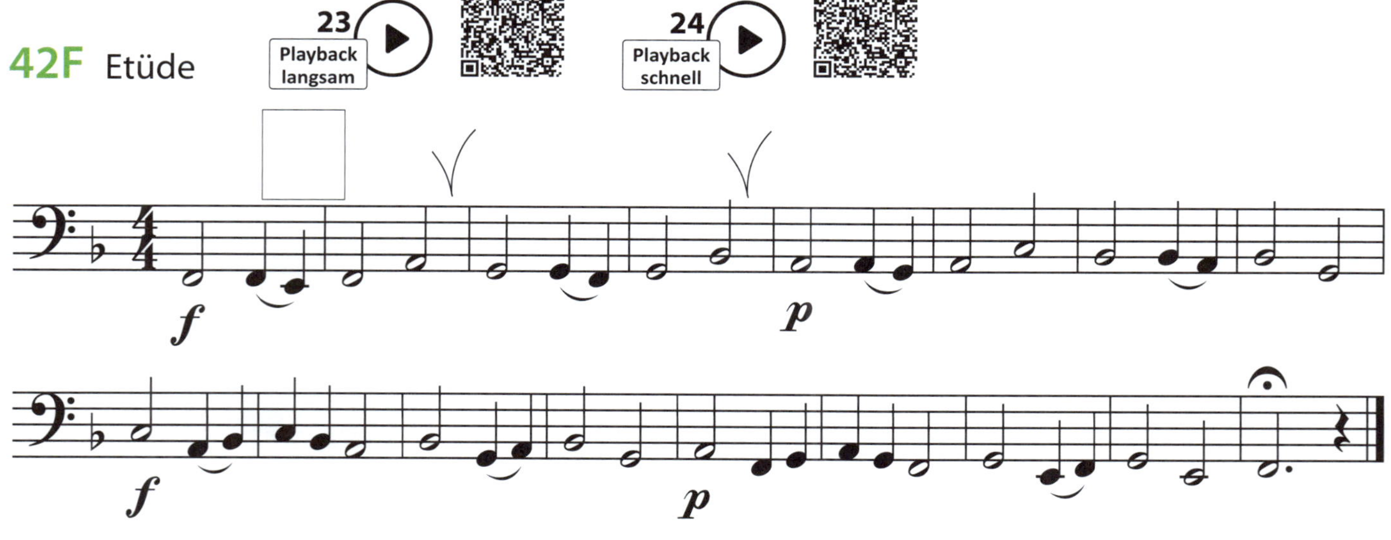

43F Sur le pont d'Avignon

aus Frankreich

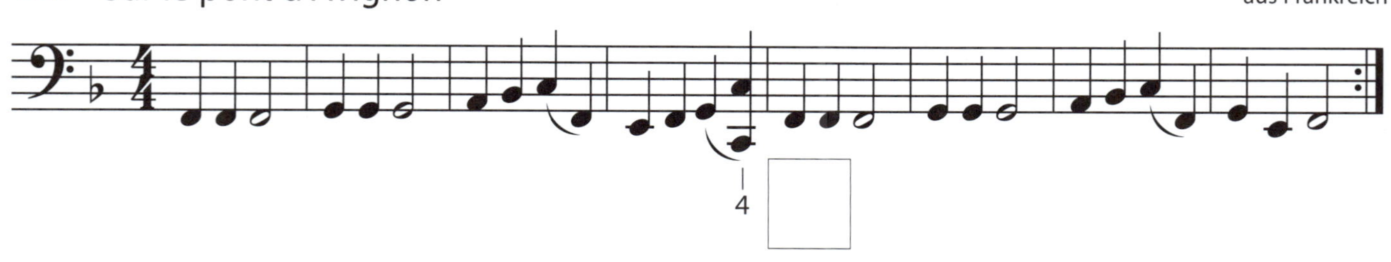

41B Old MacDonald Had A Farm

aus Amerika

f ... *p*

Neu:

BT 2 4

Ton **Kontra H**

1 2 3 4

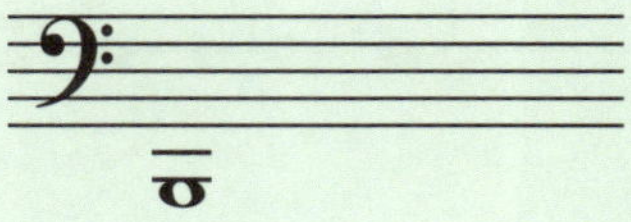

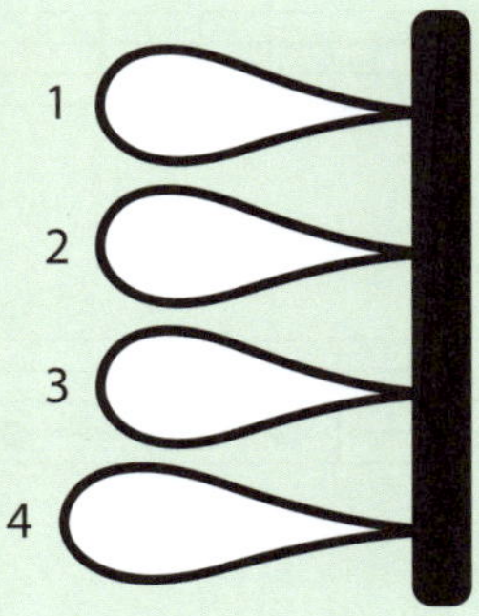

42B Etüde

25 Playback langsam

26 Playback schnell

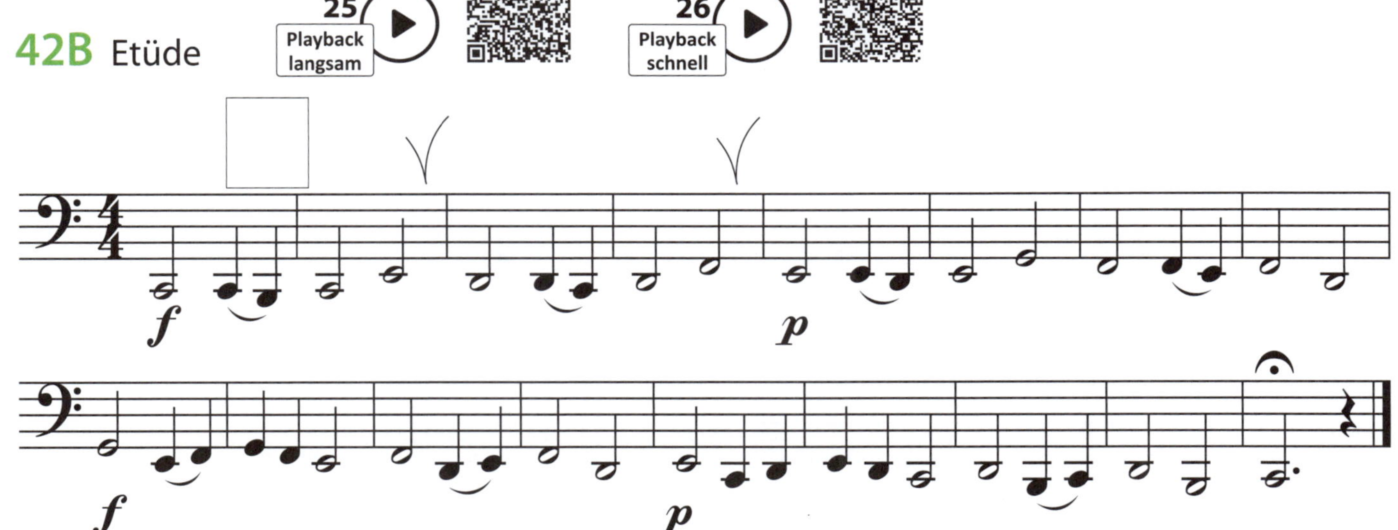

43B Sur le pont d'Avignon

aus Frankreich

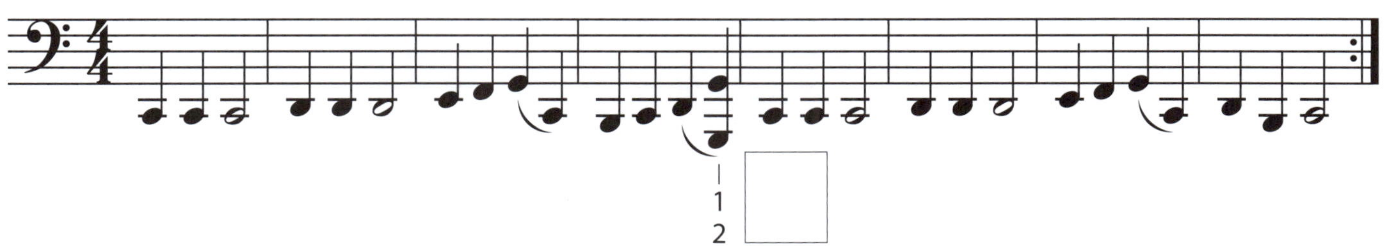

44F Mit Rhythmus unterwegs!

Hallo Tuba Fuchs!
Ab sofort wirst du in diesem Buch immer wieder neue „Rhythmus - Tonleitern“ finden!

So zum Beispiel schaut diese Tonleiter aus:

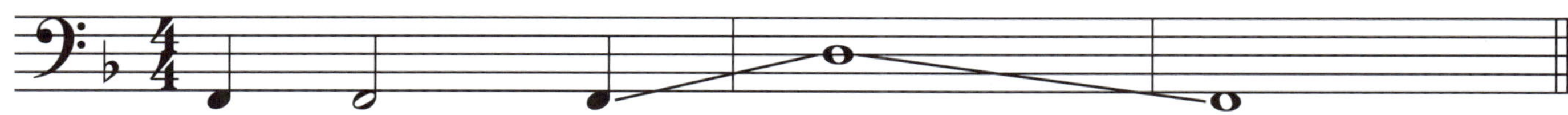

und so wird gespielt:

45F Lang, lang ist's her

Alte Volksweise

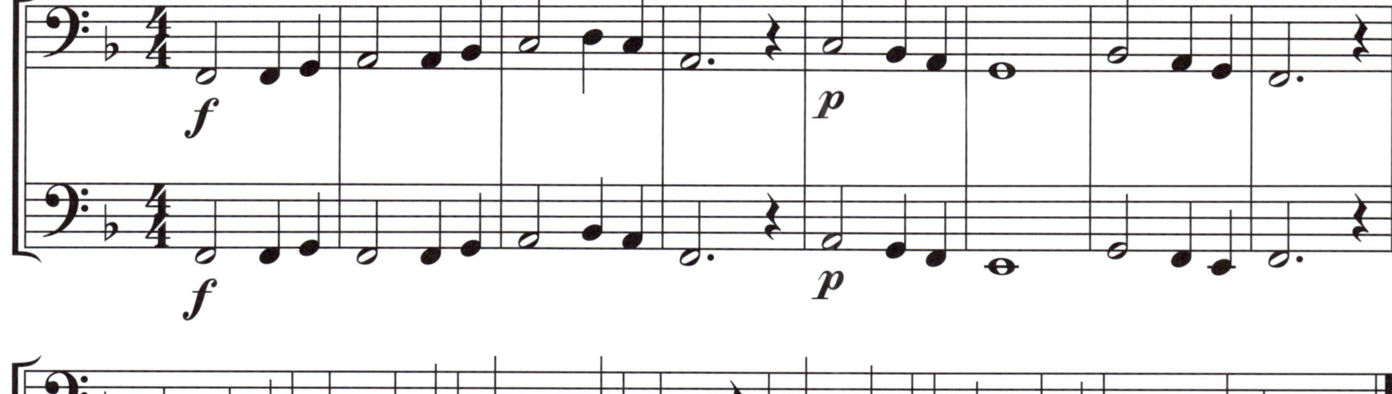

44B Mit Rhythmus unterwegs!

Hallo Tuba Fuchs!
Ab sofort wirst du in diesem Buch immer wieder neue „Rhythmus - Tonleitern" finden!

So zum Beispiel schaut diese Tonleiter aus:

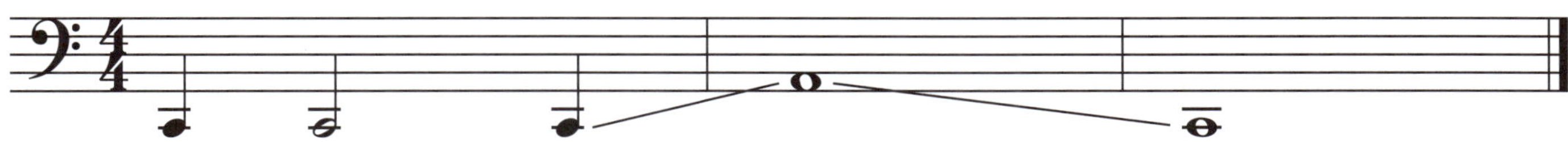

und so wird gespielt:

45B Lang, lang ist's her

Alte Volksweise

Neu:

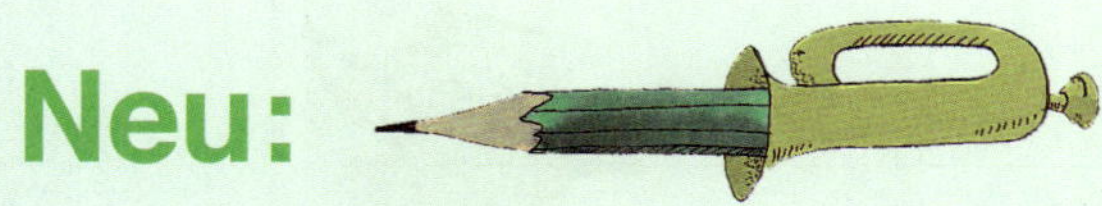

Ab jetzt spielen alle dieselben Stücke!
Manchmal gibt es aber auch Spezialübungen für F- oder B-Tuba.

Du erkennst dies wie bisher an den Symbolen hinter der Titelnummer: **F** oder **B**

Wenn zwei Noten zur Auswahl stehen, spielen F-Tubas die obere und B-Tubas die untere Note.
Du kannst aber gerne ausprobieren, ob du den anderen Ton auch schon spielen kannst!
Dein Lehrer zeigt dir, wie das geht.

Tonart: F-Dur 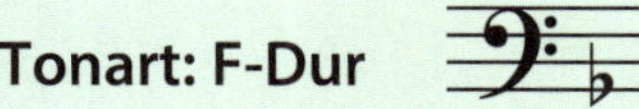

Vorzeichen: 1♭

Das ♭-Vorzeichen macht einen Ton um einen Halbton tiefer.

Erstes ♭: Der Ton H wird zu B.

Ton **Großes B**

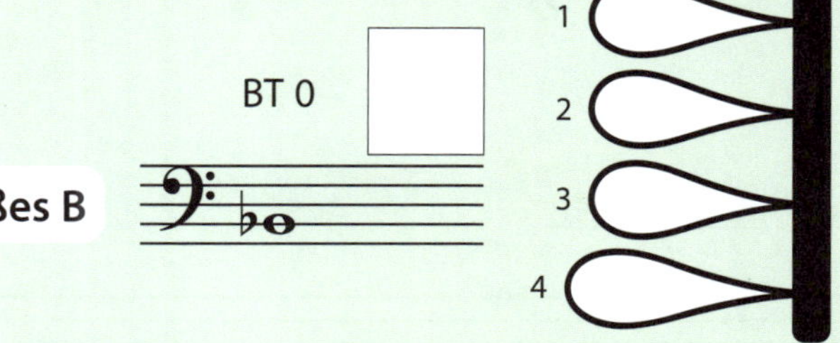

46 Tonleiter-Spiel

47 Der B-Boogie

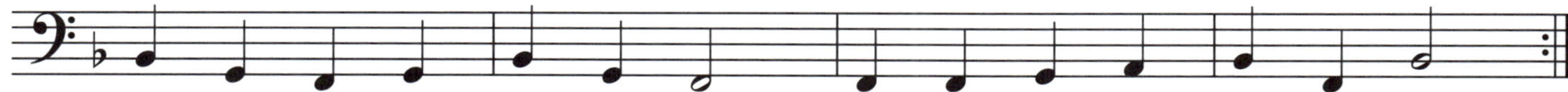

48 Das ist der Rhythmus, wo ich immer mit muss!

49 Pommes mit Ketchup

50F Eis schlecken geh'n! - Walzer

Stefan Dünser

50B Eis schlecken geh'n! - Walzer

Stefan Dünser

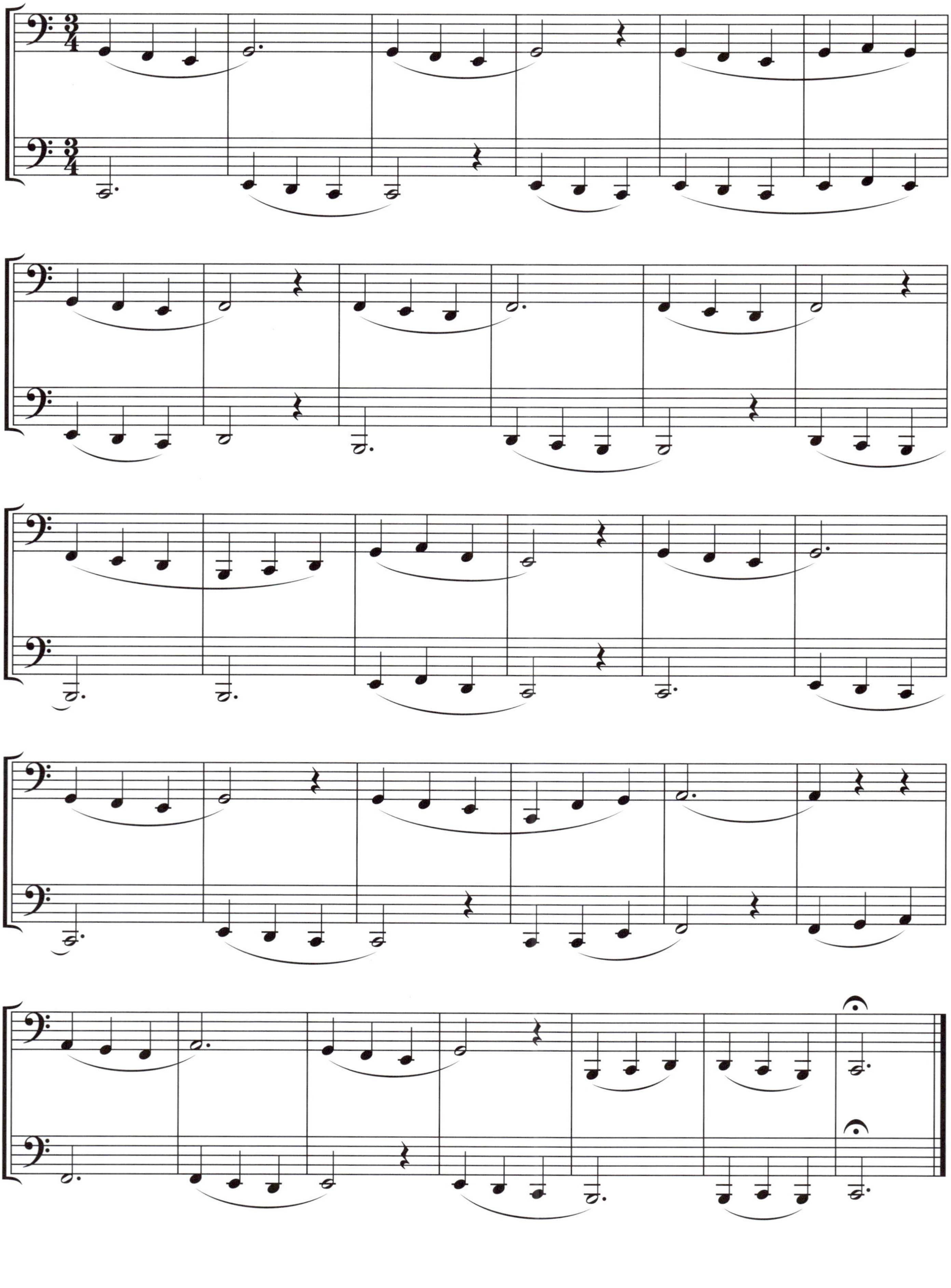

51 Hier ist Platz für ein kleines Notendiktat! Wie gut bist du schon?

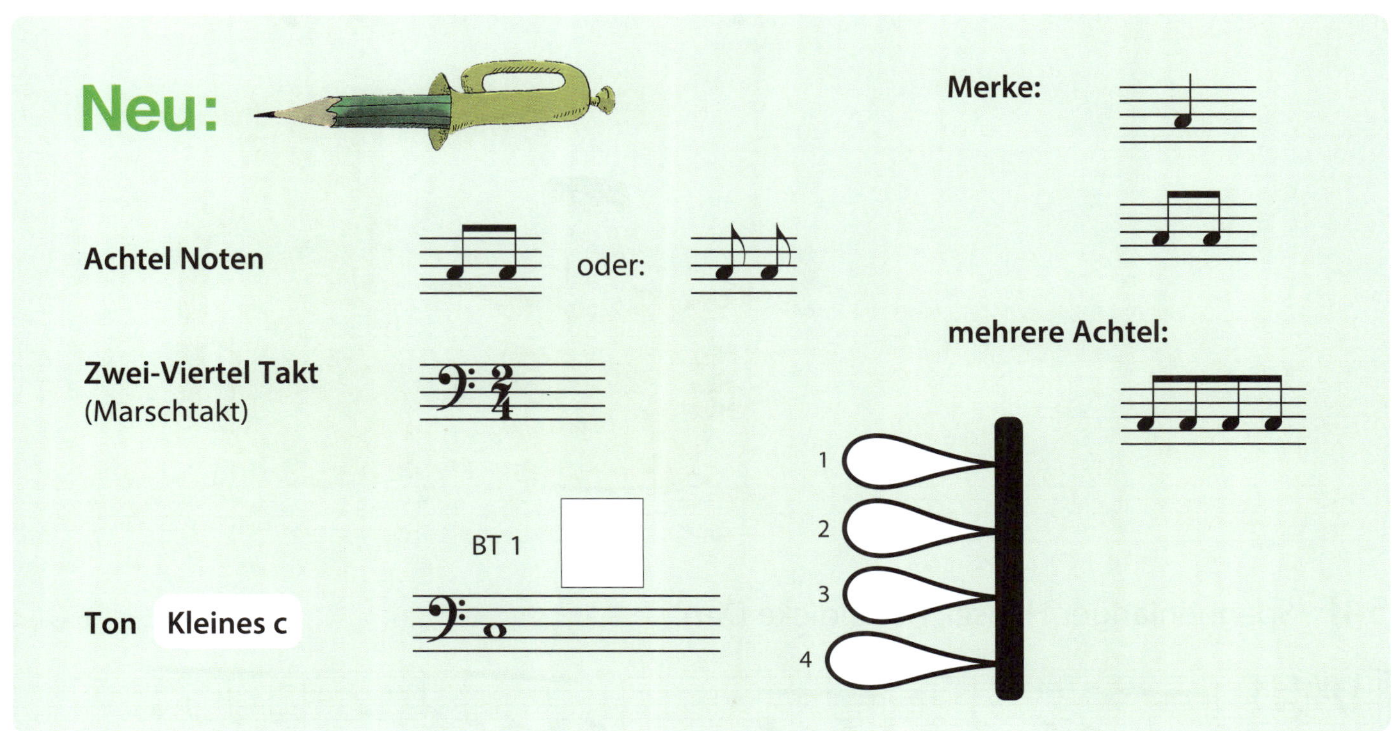

52 Achtel-Marsch

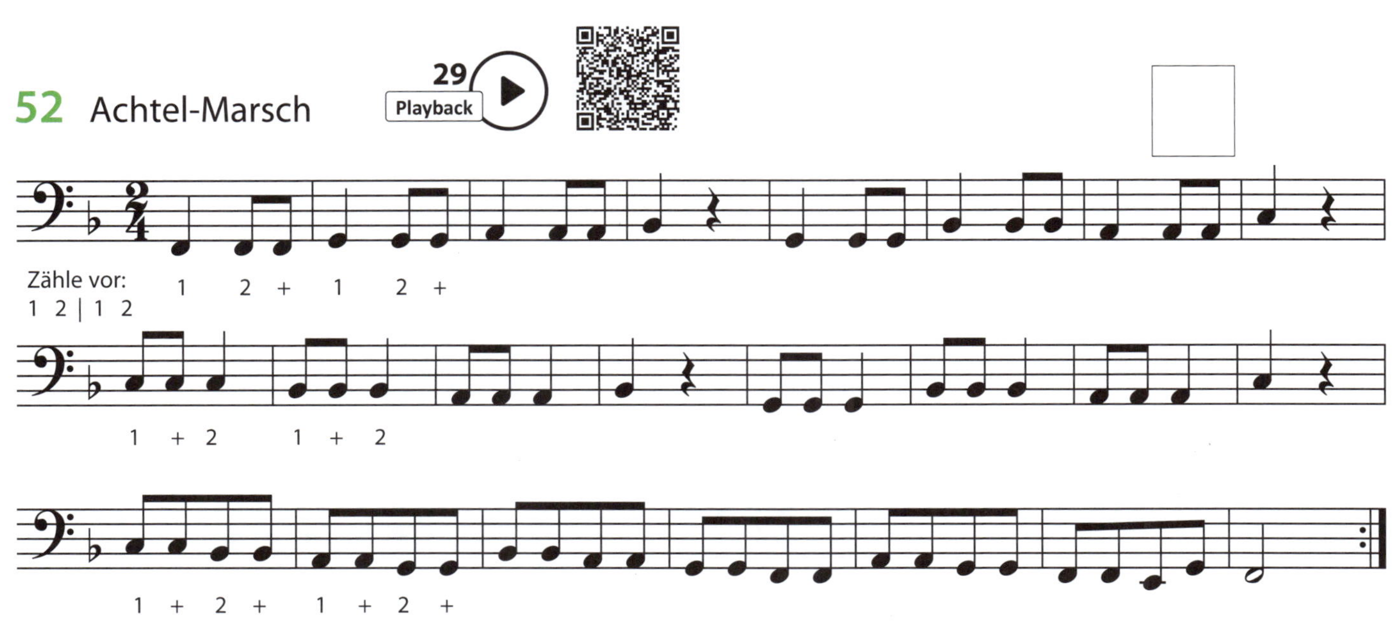

53 Dampf im Kessel!

54F Spannenlanger Hansel, nudeldicke Dirn'

Volkslied

54B Spannenlanger Hansel, nudeldicke Dirn'

Volkslied

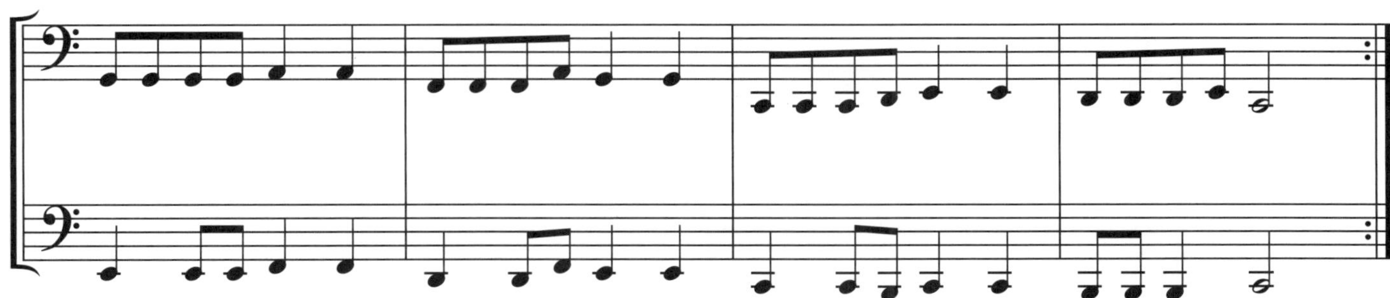

55 Mit Rhythmus unterwegs!

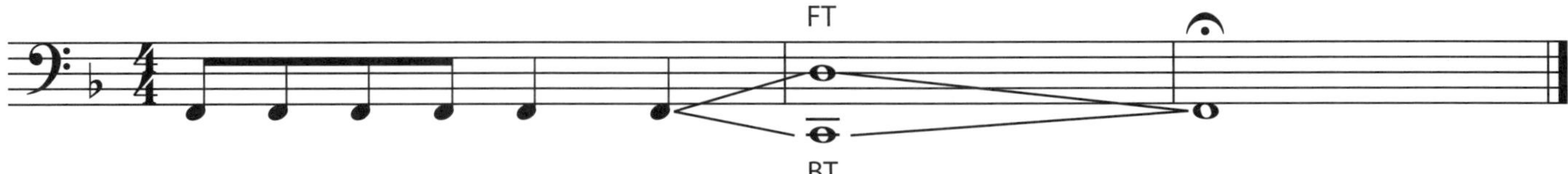

56 Bruder Jakob (Kanon)

aus Frankreich

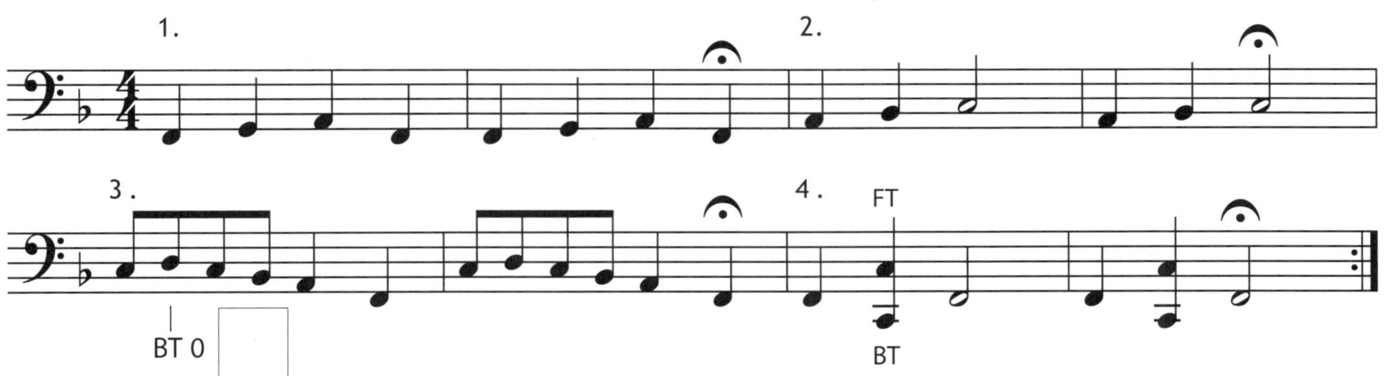

57 Almrausch-Jodler

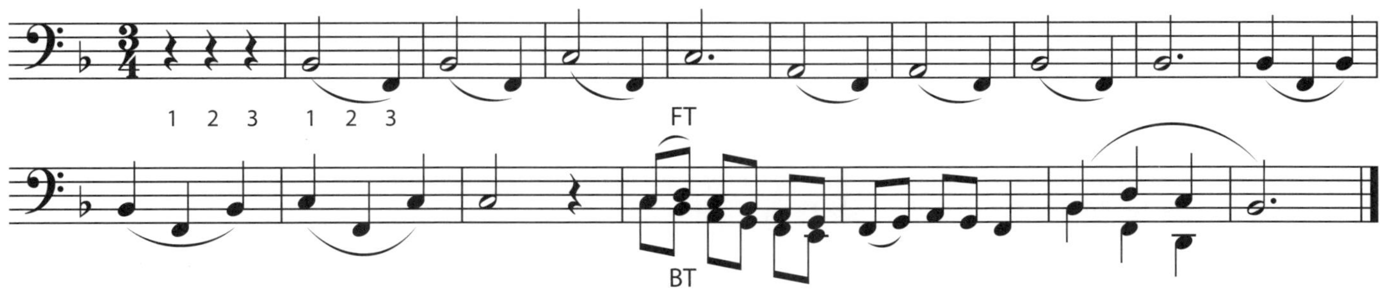

Einspiel-Session 2

Verwende diese Einspiellieder mehrere Wochen lang!

F Einspiel-Melodie 4

F Einspiel-Melodie 5

F Einspiel-Melodie 6

F Einspiel-Melodie 7

Mundstück Spielübungen

1. Spiele auf dem Mundstück ein Lied, das dir besonders gut gefällt!
2. Echospiel: Dein Lehrer spielt dir ein paar Töne vor, du spielst genau die gleichen Töne nach - und dann umgekehrt! Vielleicht verwendet ihr dafür auch Teile aus bekannten Liedern?
3. Wähle ein Lied, spiele den ersten Takt, singe (oder summe) den nächsten, dann wieder spielen, singen (oder summen) und so weiter!

Klatschduett 2
B Einspiel-Melodie 4
B Einspiel-Melodie 5
B Einspiel-Melodie 6
simile
B Einspiel-Melodie 7

58 Früh übt sich, wer ein Akrobat werden will!

30 Playback langsam

31 Playback schnell

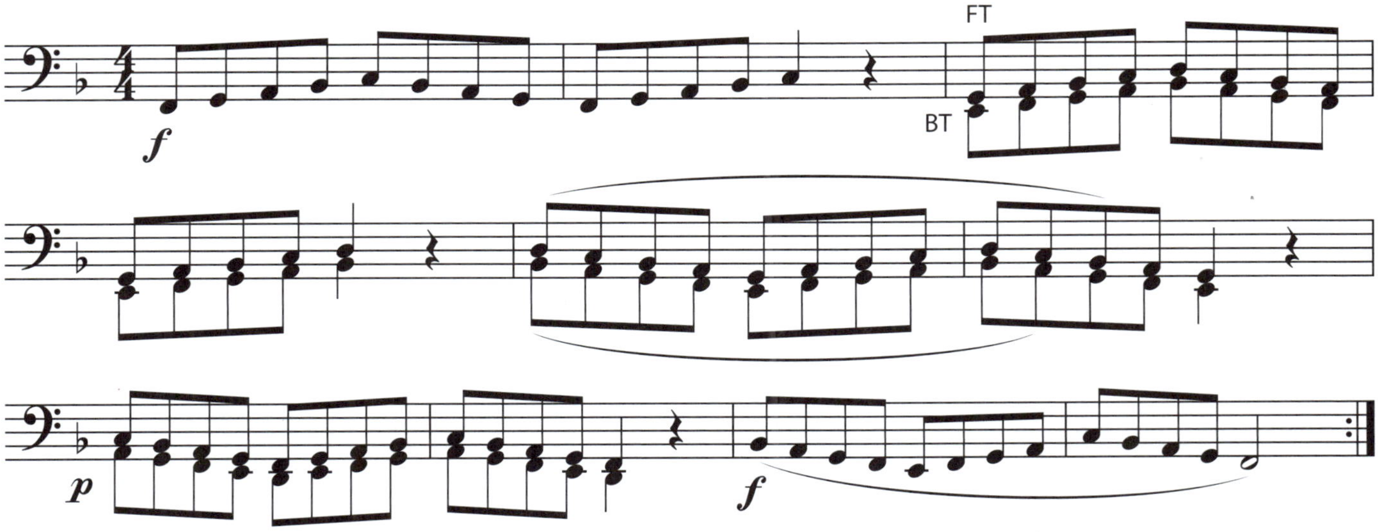

FT

BT

f

p

f

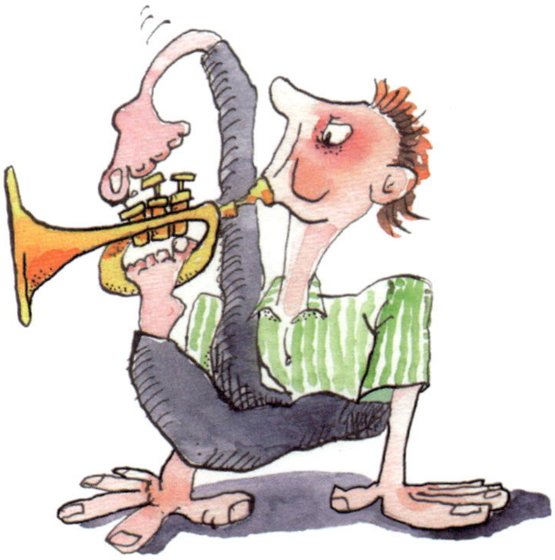

Neu:

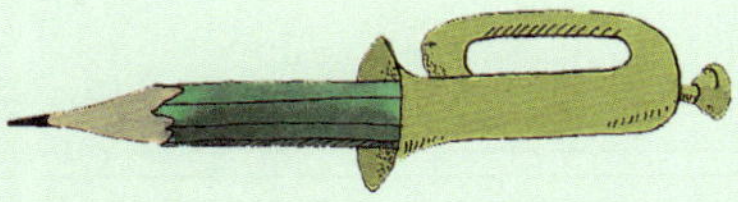

Achtel Pause

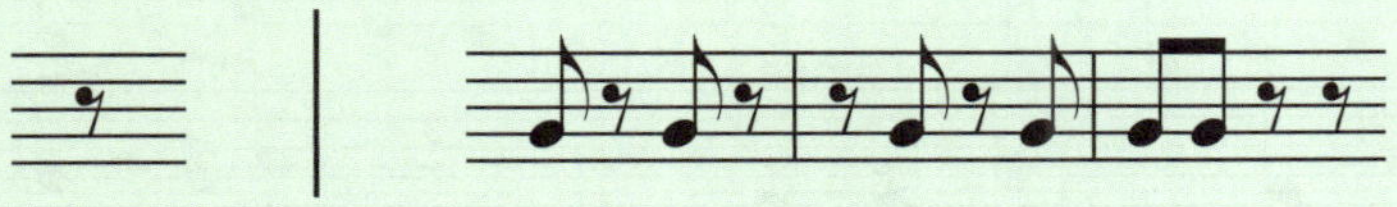

1 + 2 + 3 +
f 1 + 2 + 3 +
1 2 3 +
p
59B Trauriger Clown
33 Playback
Stefan Dünser
p 1 2 3 +
f
p
1 + 2 + 3 +
f 1 + 2 + 3 +
1 2 3 +
p
60 Dreh dich Tanzbär!
34 Playback
Stefan Dünser
FT
BT
f
p
f
1 2 3 +

Neu: 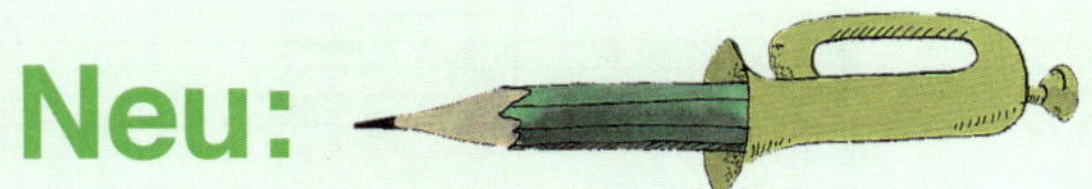

Der Auftakt
ist ein unvollständiger Takt zu Beginn eines Stückes. Der Auftakt ergänzt sich mit dem Schlusstakt zu einem vollständigen Takt (siehe nächste Übung). Die fehlende Viertel des Auftakts werden einfach vorausgezählt.

mf bedeutet **mezzoforte** (= mittellaut)

61F Der Mond ist aufgegangen

Stefan Dünser

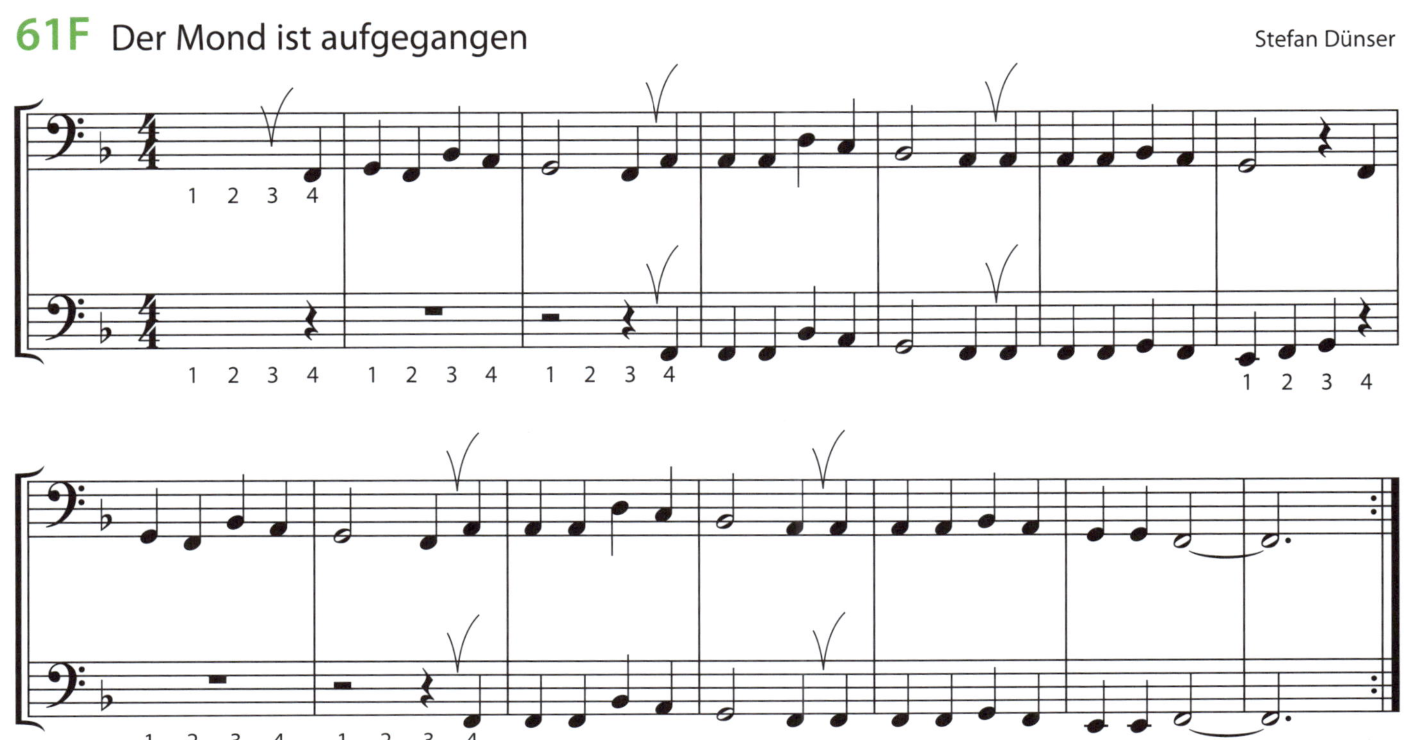

61B Der Mond ist aufgegangen

Stefan Dünser

62 Mit Rhythmus unterwegs! Erfinde einen Rhythmus!

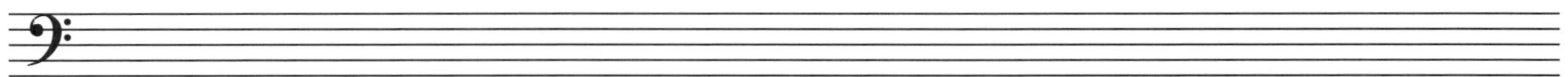

63F Weißt du wieviel Sternlein stehen?

Volkslied

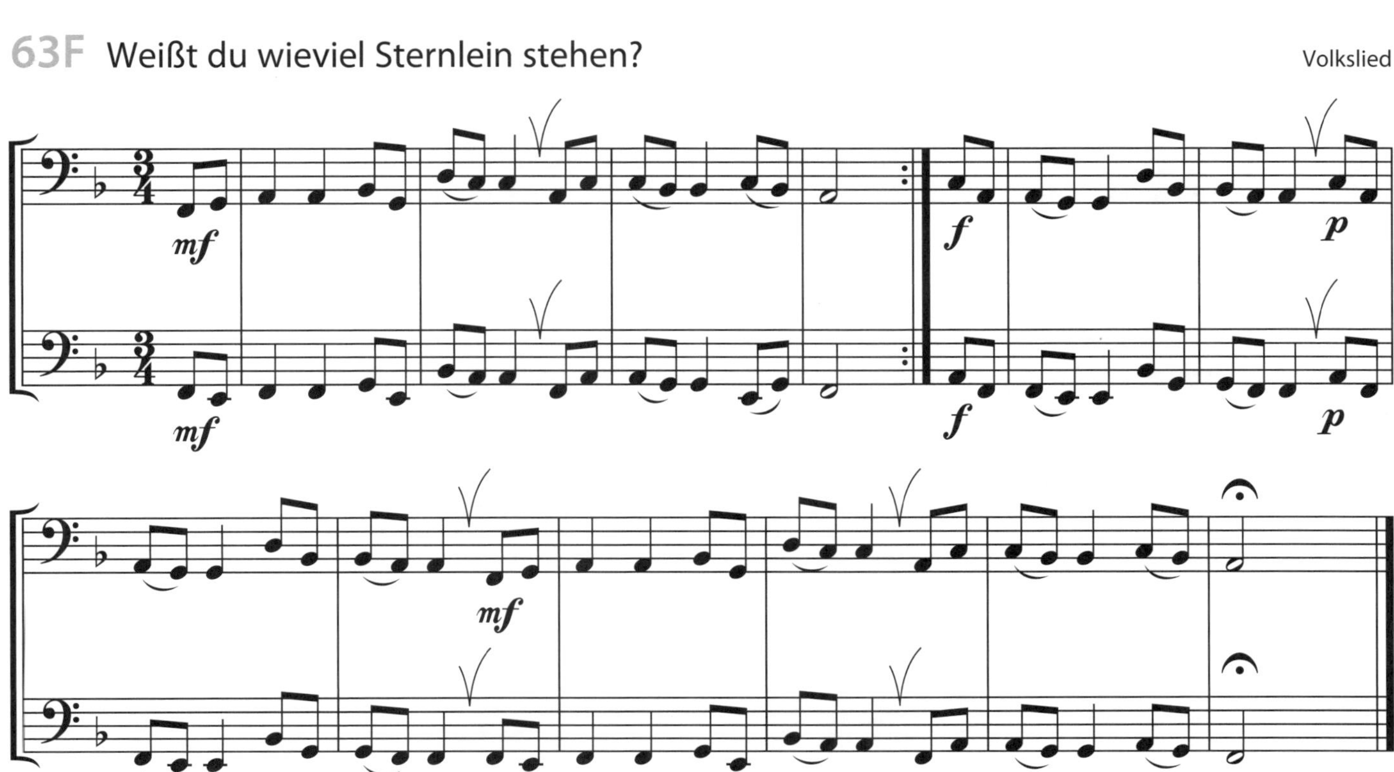

63B Weißt du wieviel Sternlein stehen?

Volkslied

Tipp!

1. Setze immer die Atemzeichen.
2. Atme stets tief ein.
3. Beim Spielen: Trau' dich!

64F Fing mir eine Mücke heut' (Wettstreit! Wer kann am schnellsten spielen?)

aus Ungarn

64B Fing mir eine Mücke heut' (Wettstreit! Wer kann am schnellsten spielen?)

aus Ungarn

65F Luag wia tritt min Schatz daher

Tanzlied aus Nüziders

65B Luag wia tritt min Schatz daher

Tanzlied aus Nüziders

66 Da sprach der Häuptling Plattfuß-Indianer!

67 Übung mit dem neuen Ton

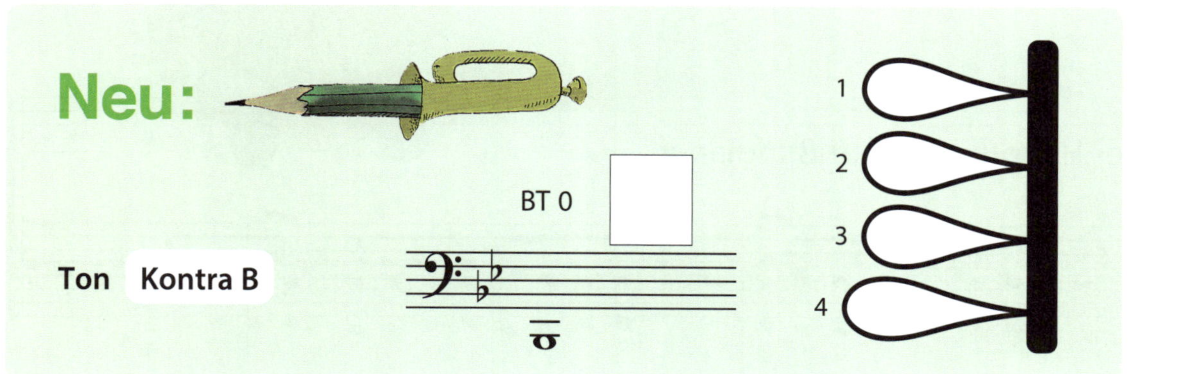

68 Mit Rhythmus unterwegs!

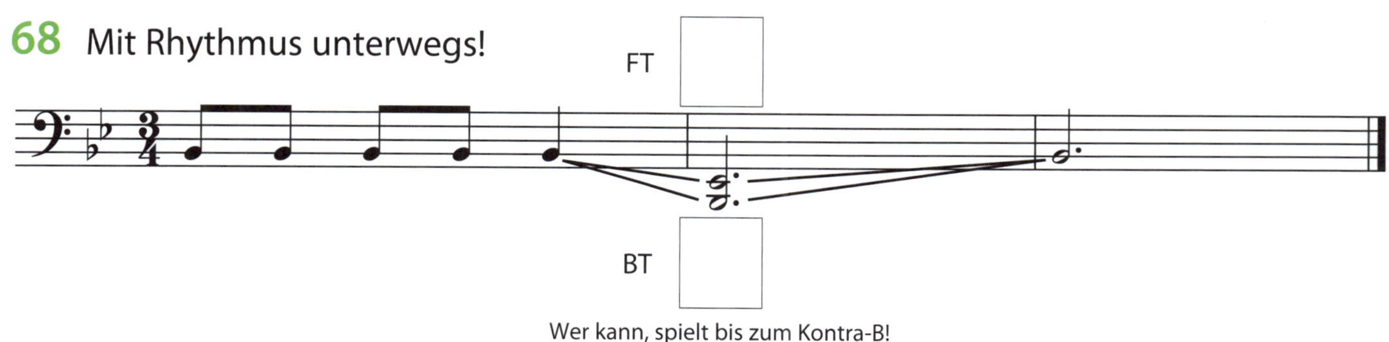

Wer kann, spielt bis zum Kontra-B!

69 „Es" klingt schon sehr gut!

Werner Kreidl

70 Revolver Joe

Stefan Dünser

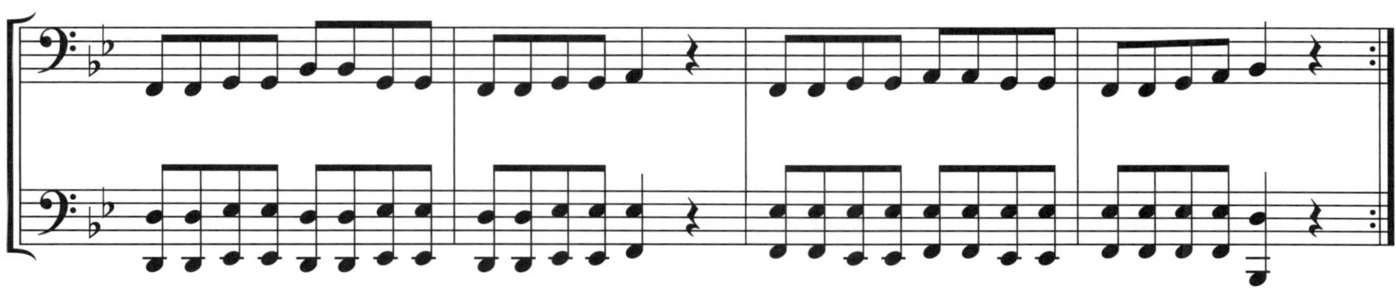

71 Bergecho-Ruf

72 Himbeer'n mit Eis

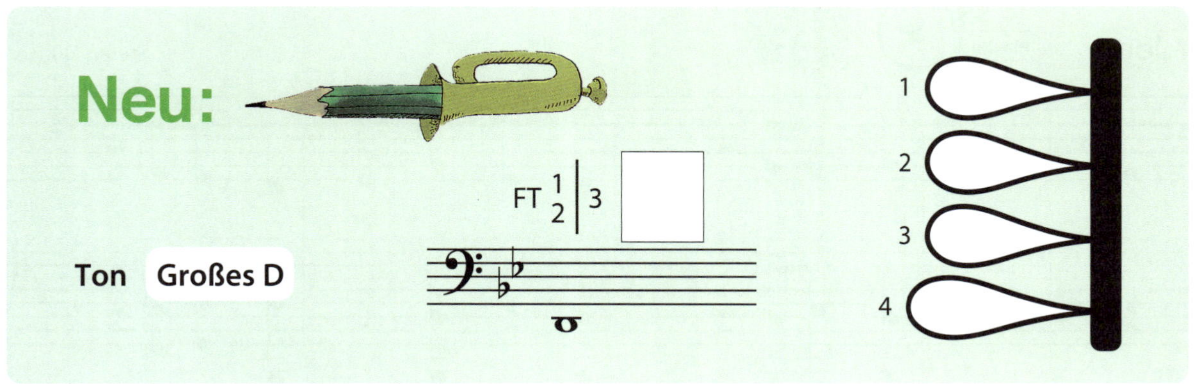

73 Mit Rhythmus unterwegs!

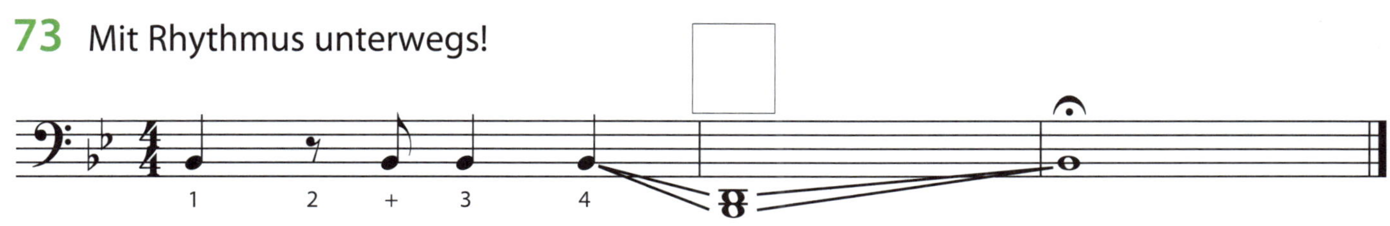

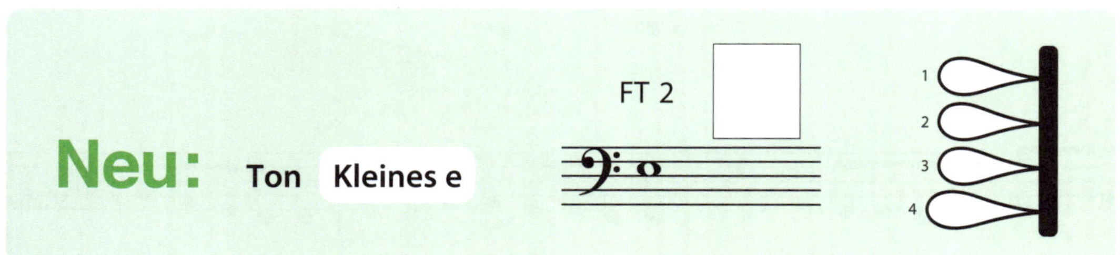

Zwischenübung: Wie geschmiert: Der Luftfluss!

Beim 1. x verwendest du die üblichen Griffe.
Beim 2. x nimm für alle Töne den Hilfsgriff 4 (1/3)!

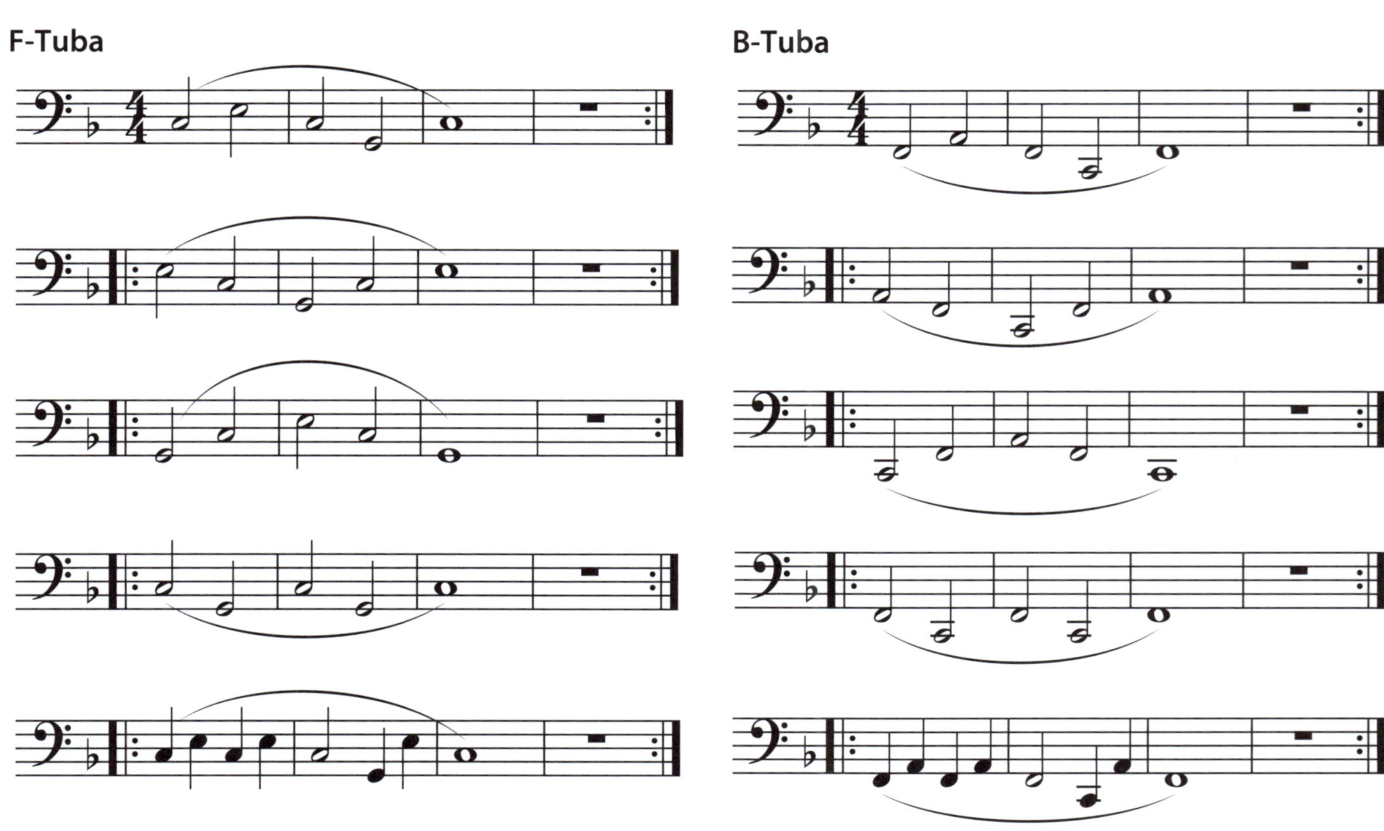

74 D-Cool-Blues

Stefan Dünser

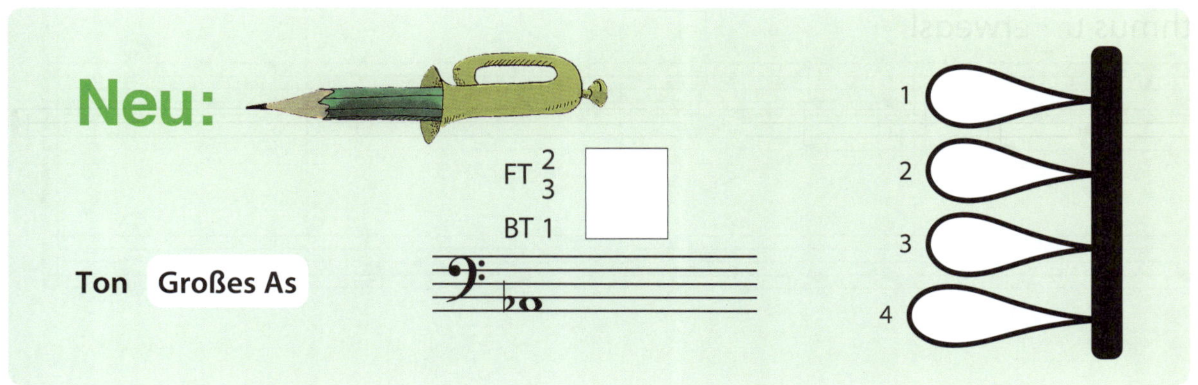

75 Wer hat Hunger und an Durst?

Nawerwohl Fuchs

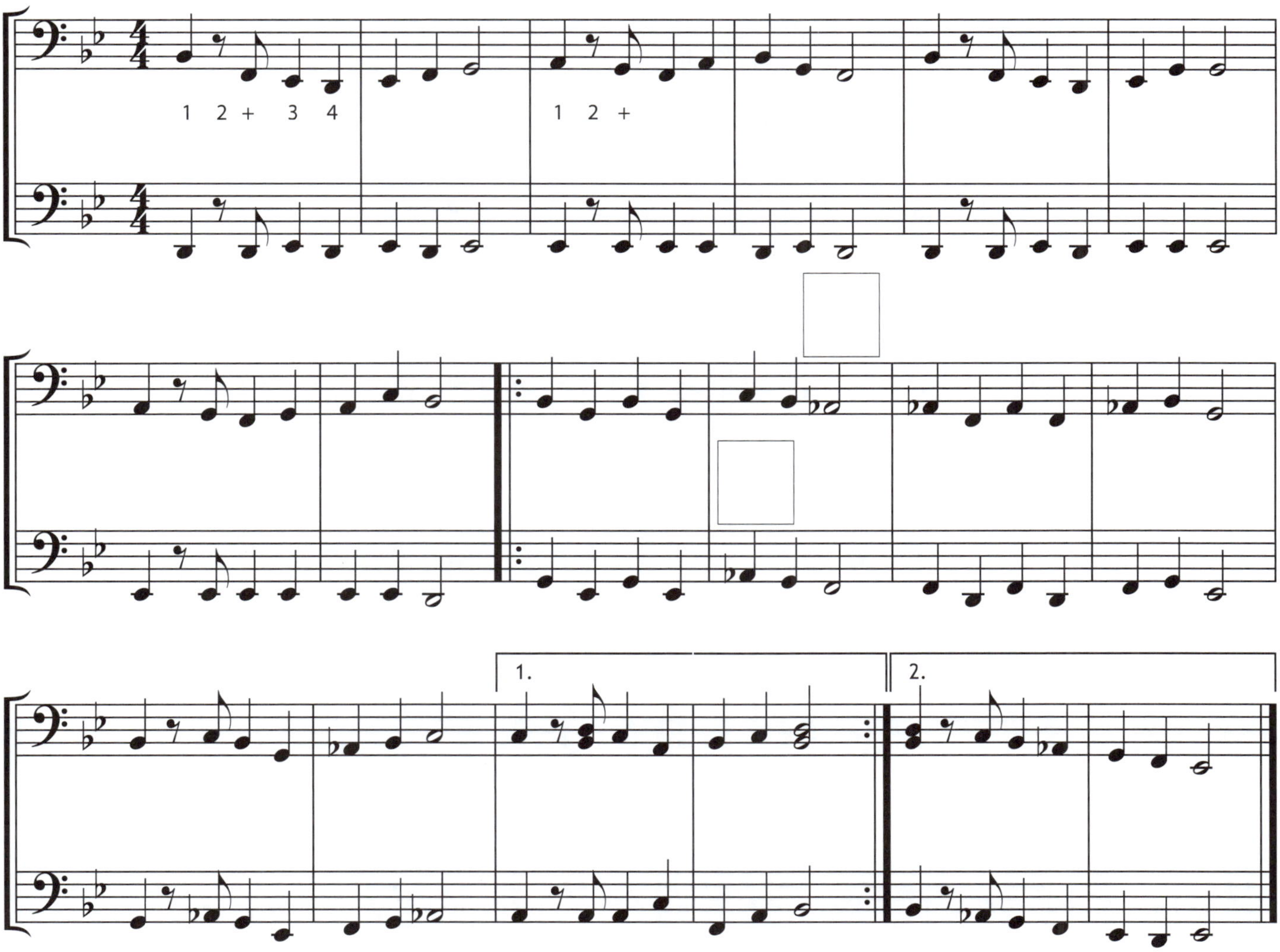

1 2 + 3 4

1 2 +

1.

2.

Neu:

Staccato (.): Dieses Zeichen über oder unter einer Note bedeutet kurz gestoßen spielen

76 Häschen hüpf!

FT

f Häs - chen hüpf!

BT

f Häs - chen hüpf!

Hüpf hüpf Haas!

Hüpf hüpf Haas!

Neu:

Ton **Kleines d**

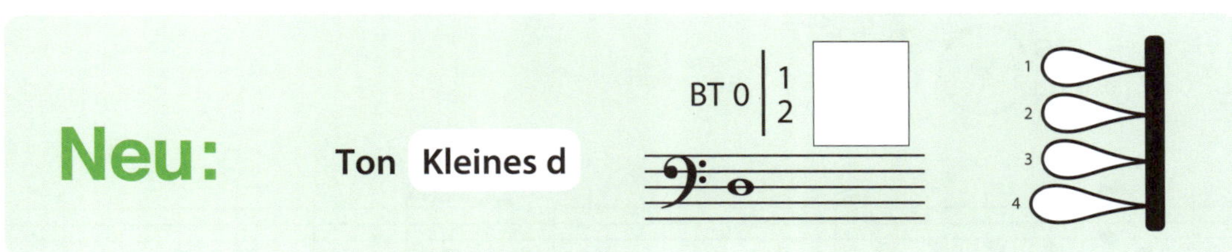

77 Bauern-Tanz

36 Playback

Stefan Dünser

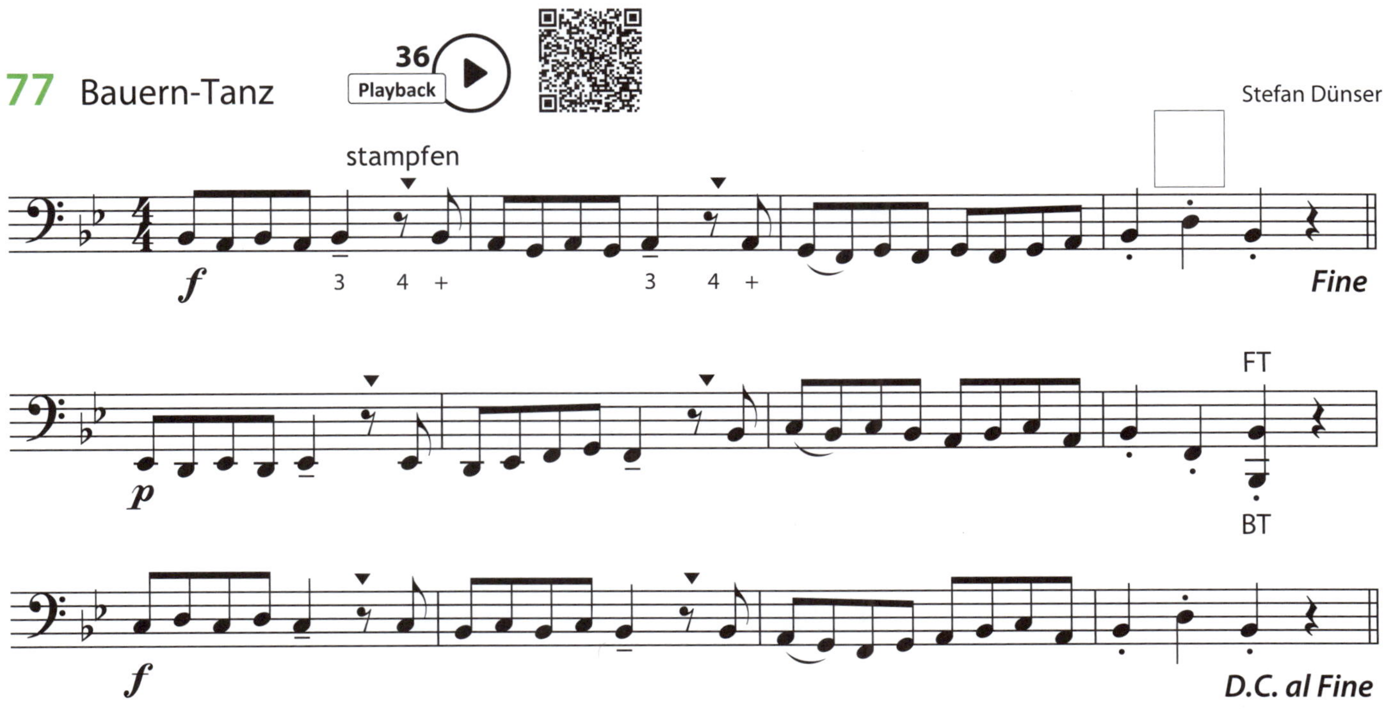

D.C. al Fine: Nochmals von Anfang bis **Fine** (= Schluss) spielen

Neu:

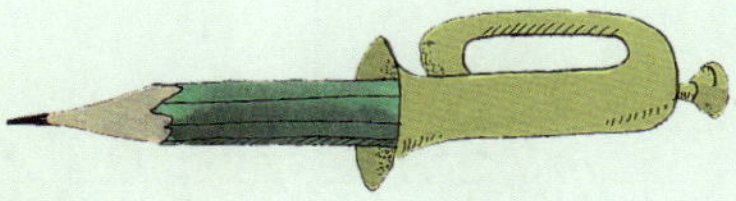

Marcato
Das > - Zeichen bedeutet betont spielen bzw. stoßen

78 Heiße Ventile in F-Dur

37 Playback langsam

38 Playback schnell

FT

BT

Wiederholung: stoßen!

79 Lausbuben-Dixie

Stefan Dünser

Frech!

simile

Tipp!

Bevor du beginnst:
Stelle dir den ersten Ton genau vor.
Der erste Ton ist der Wichtigste!

80 Duell

81 Chumm, mir wei go Chriesli gwünne!

aus der Schweiz

Übersetzung: „Komm lass uns Kirschen pflücken!"

Drei-Achtel Takt: Zähle jedes Achtel einzeln!

82 Mit Rhythmus unterwegs

1. Spiele die Tonleiter in Zweischlag-Noten
2. Spiele die Rhythmus-Tonleiter

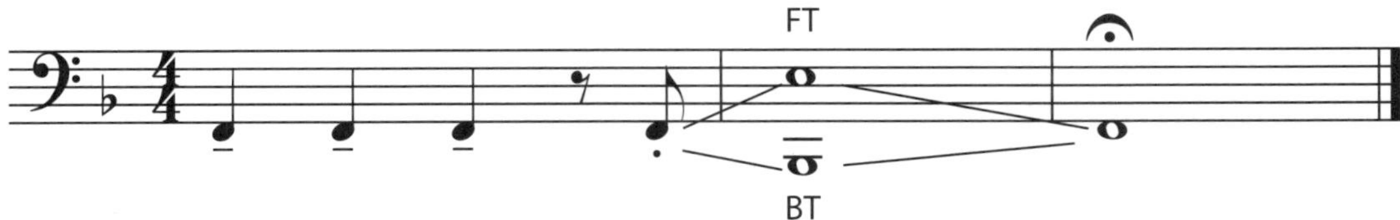

83 Little Brown Jug

aus Amerika

Übungszeit - Übersichts - Tafel

Mal ganz ehrlich: Wie lange übst du jeden Tag? Hier hast du die Gelegenheit einmal eine Woche lang aufzuschreiben, wieviel du **wirklich** gespielt hast.

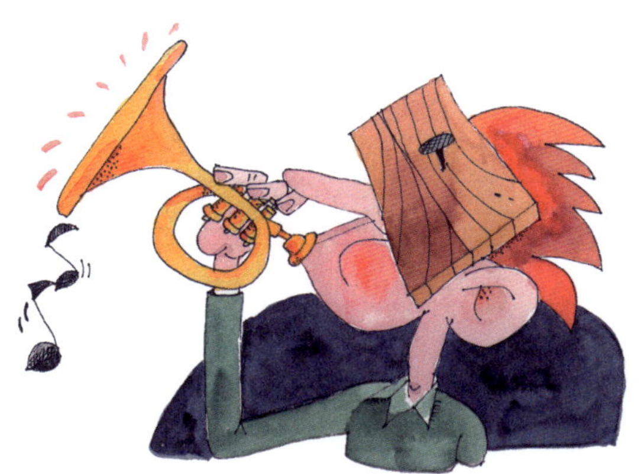

Wieviele Minuten hast du gespielt, am:

Montag	Dienstag	Mittwoch	Donnerstag	Freitag	Samstag	Sonntag

Gesammelte Minuten:

Hast du über **150 Minuten** gesammelt, bist du **Super**!

Hast du über **120 Minuten** gesammelt, dann bist du **sehr brav** gewesen!

Hast du etwa **90 Minuten** gesammelt, ist es schon ganz **O.K.**!

Hast du etwa **70 Minuten** gesammelt, könntest du noch **etwas fleißiger sein**!

Hast du weniger als **60 Minuten** gesammelt, solltest du **eindeutig mehr spielen**!

Auf Seite 119 findest du noch mehr **Übersichts-Tafeln** für die Übungszeit zur Selbstkontrolle!

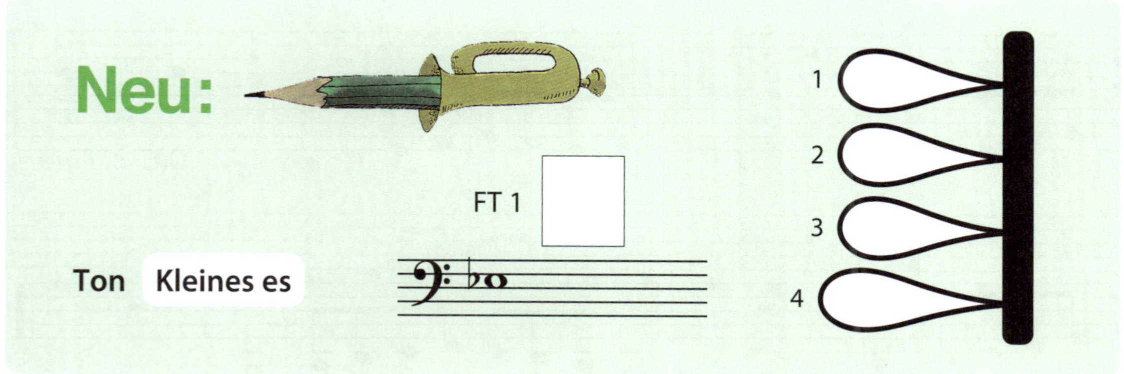

84 Der traurige Floh

Stefan Dünser

Welche Version spielst du lieber?

FT

BT

f *p* *f* *p* *f* *p*

85F Tonleiter-Spiel in B-Dur

41 Playback langsam

42 Playback schnell

85B Tonleiter-Spiel in B-Dur (für B-Tubisten und andere Tiefen-Spezialisten)

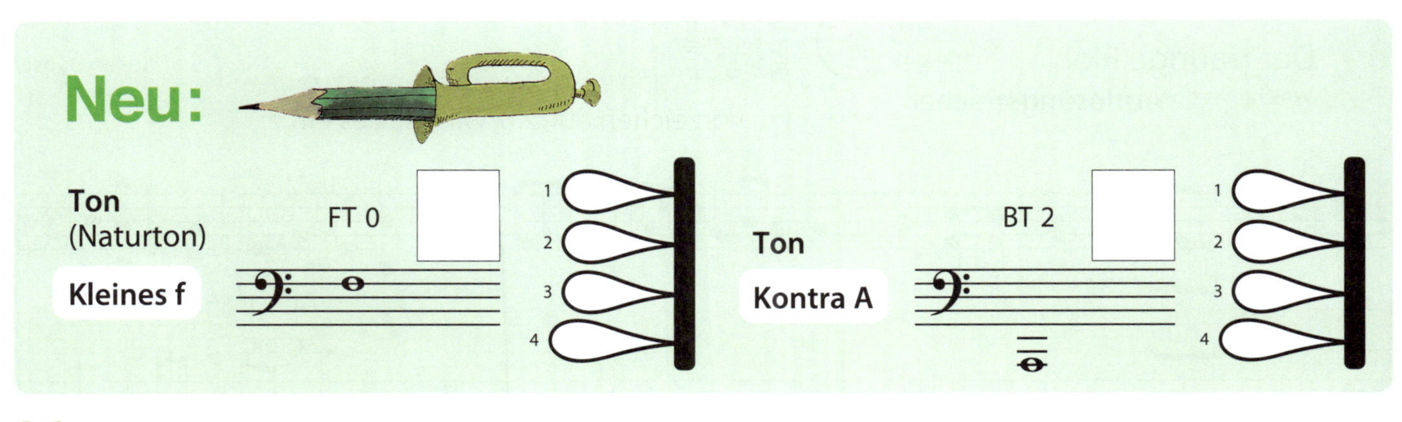

86 Versuch mal!

87 Tuba-Ruf!

Stefan Dünser

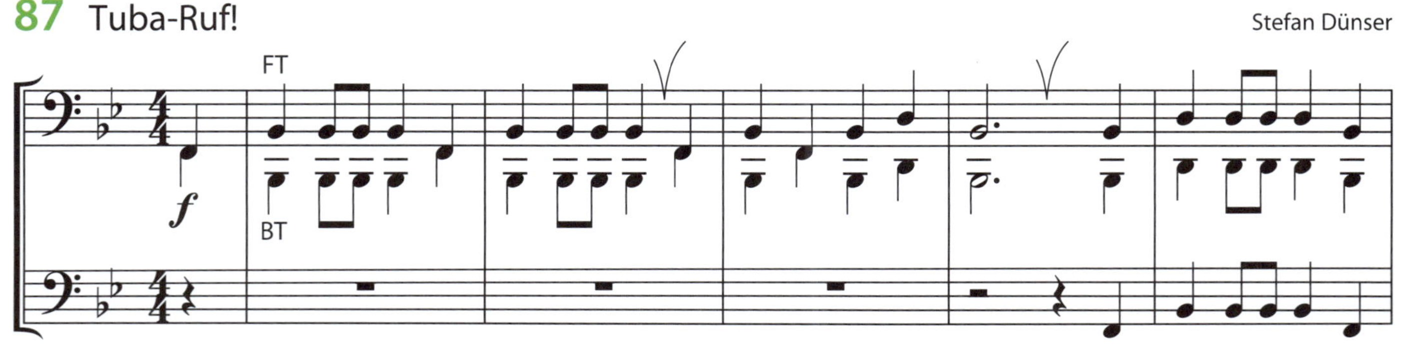

Neu: Auflösungszeichen ♮

Das Auflösungszeichen löst ein vorgeschriebenes Vorzeichen auf, z.B. wird aus **es** ein **e**.

88F Der eitle Gockel

Wolfgang Amadeus Mozart
Bearbeitung: Stefan Dünser

88B Der eitle Gockel (kann auch tiefer krähen!)

Naturton-Tusch

Tipp!

Diesen Tusch kannst du auch mit jedem anderen Griff (z.B. 2, 1, 1/2 usw.) spielen! Versuch's mal!

89 Cowboy John's Stolperpferd

Stefan Dünser

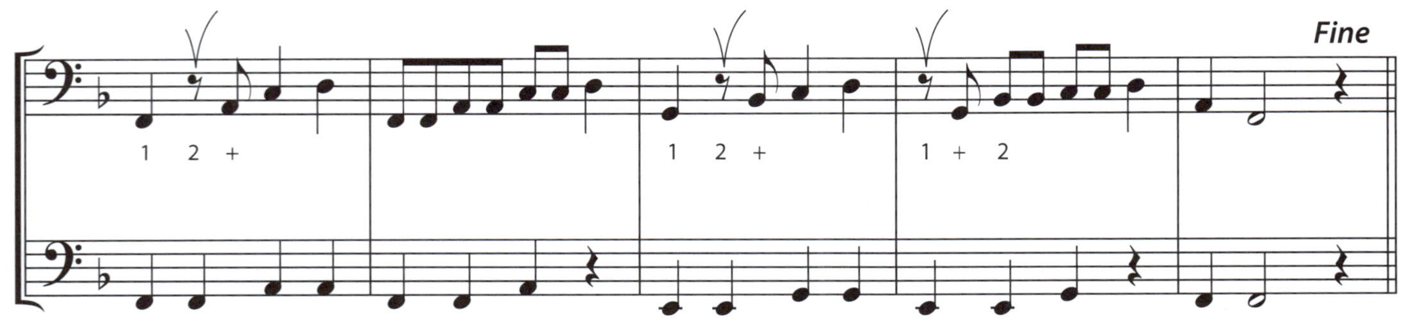

90 Mit Rhythmus unterwegs!

91F Im Märzen der Bauer (Mit Umspielungen)

Volkslied

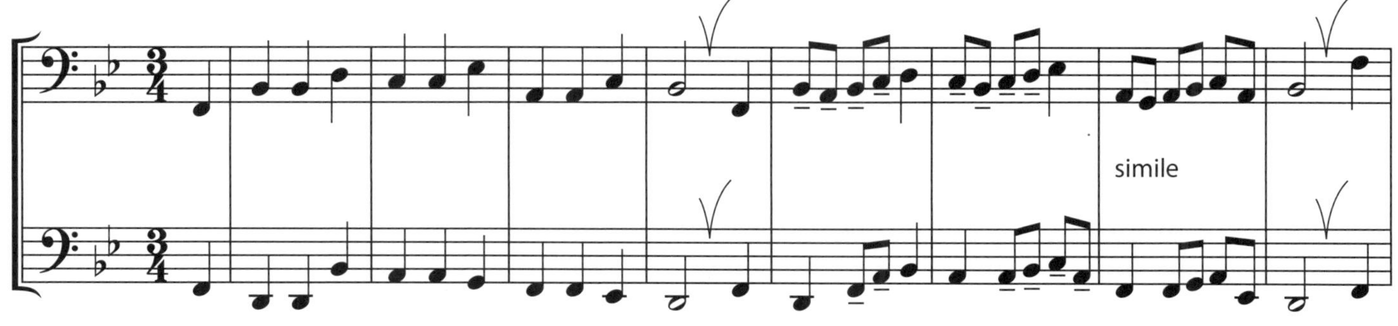

91B Im Märzen der Bauer

Für tiefe Melodiebrummer - Die 2. Stimme, die hoch hinaus will, ist für den Lehrer!

Einspiel-Session 3 F-Tuba

Verwende diese Einspiellieder mehrere Wochen lang!

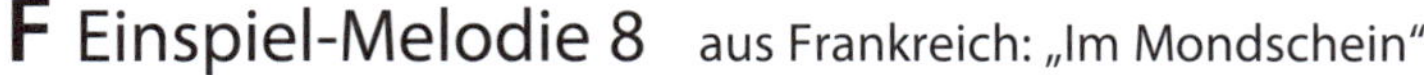

F Einspiel-Melodie 8 aus Frankreich: „Im Mondschein“

F Einspiel-Melodie 9 Alpbacher Bauernmesse

F Einspiel-Melodie 10

F Einspiel-Melodie 11

Einspiel-Session 3 B-Tuba

Verwende diese Einspiellieder mehrere Wochen lang!

B Einspiel-Melodie 8 aus Frankreich: „Im Mondschein"

B Einspiel-Melodie 9 Alpbacher Bauernmesse

B Einspiel-Melodie 10

B Einspiel-Melodie 11

92 A Tuba-Player's Love-Song

44 Playback

Stefan Dünser

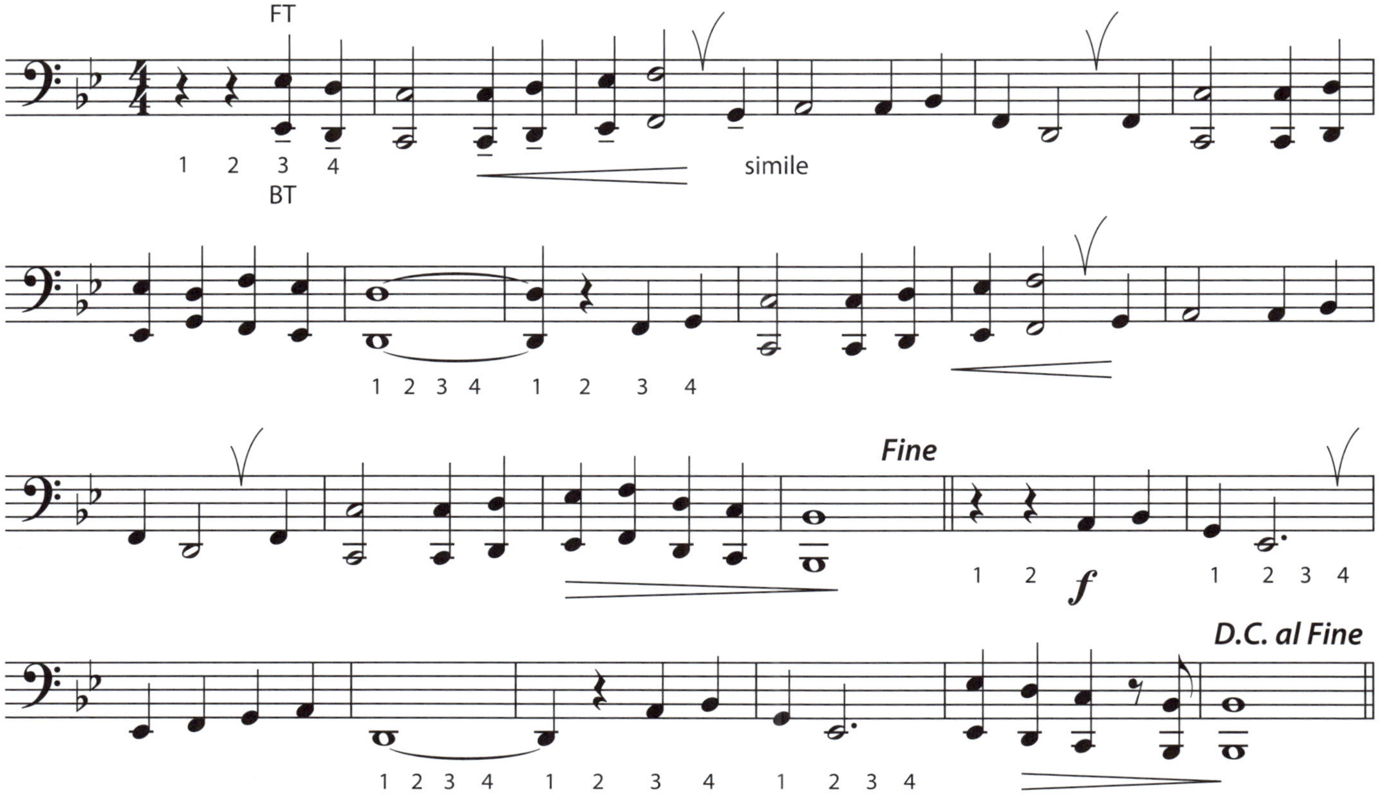

FT
1 2 3 4
BT
simile
1 2 3 4 1 2 3 4
Fine
1 2
f
1 2 3 4
D.C. al Fine
1 2 3 4 1 2 3 4 1 2 3 4

Neu:

Punktierte Viertel Note
Der Punkt hinter einer Note verlängert diese um ihren halben Wert.

1 2 +
=
1 2 +

93 Probier mal!

1 2 + 3 4
1 2 + 3 4

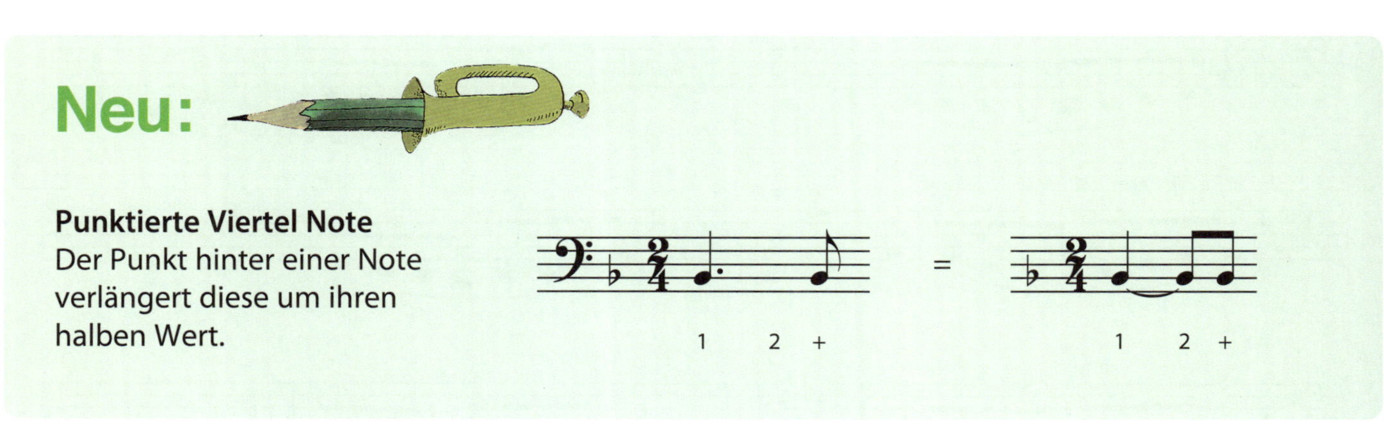

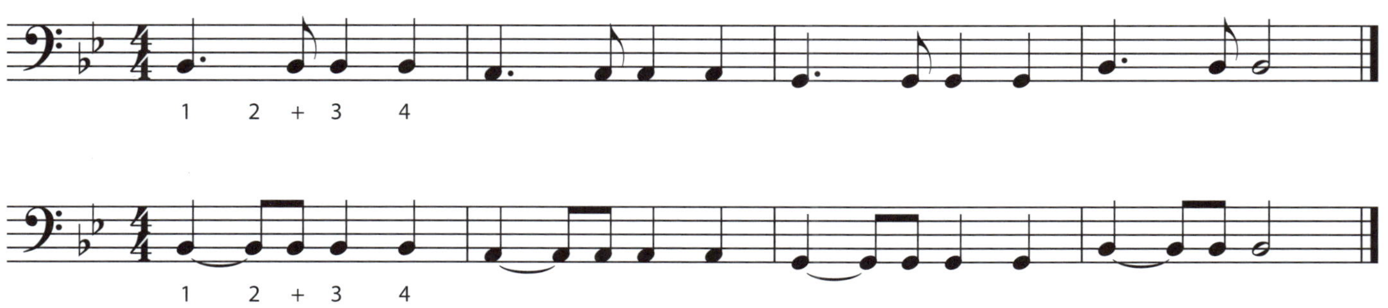

Neu:

Tonart: Es-Dur

Vorzeichen: 3 ♭

Drittes ♭: Der Ton A wird zu As.

Erinnerung:

Ton Großes As

FT 2 3

BT 1

1 2 3 4

94 Etüde mit punktierten Vierteln

45 Playback langsam

46 Playback schnell

1 2 + 3 4 1 2 + 3 4

FT

BT

simile

1 2 3 4 + 1 2 3 4 +

1 2 + 3 4 + 1 2 + 3 4 +

Tipp!

Hab einfach Spaß beim Spielen und Ausprobieren und spiele regelmäßig auf deinem tollen Instrument!

Es lohnt sich total, versprochen!

95F Alle Vöglein sind schon da!

Volkslied

95B Alle Vöglein sind schon da in B-Dur

Volkslied

96 Heiße Ventile in Es-Dur

Tipp! Du kannst „Heiße Ventile“ auch im coolen „Swing Style“ üben! Lass dir das doch mal von deinem Lehrer vorführen!

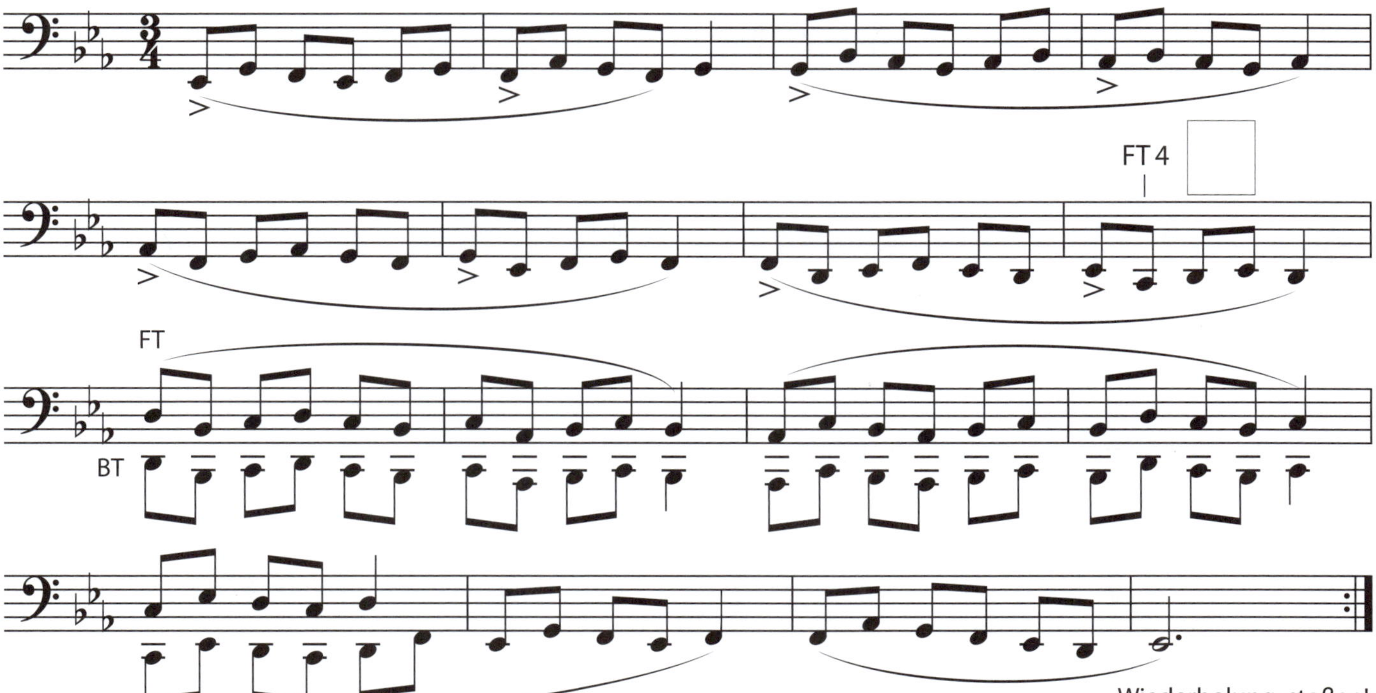

FT 4

FT

BT

Wiederholung: stoßen!

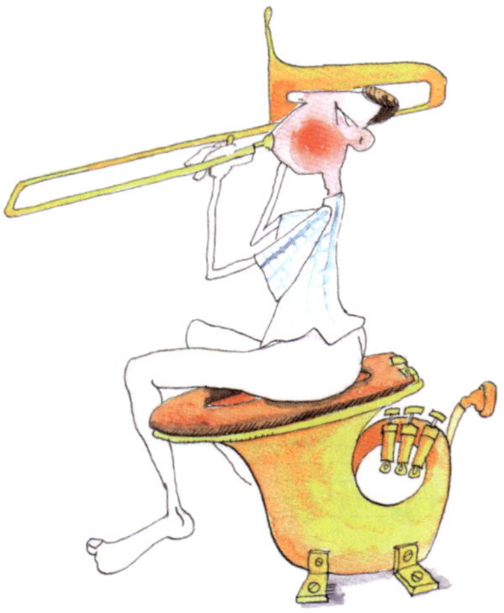

97 Jeder muss mal! (Punktierte spielen)

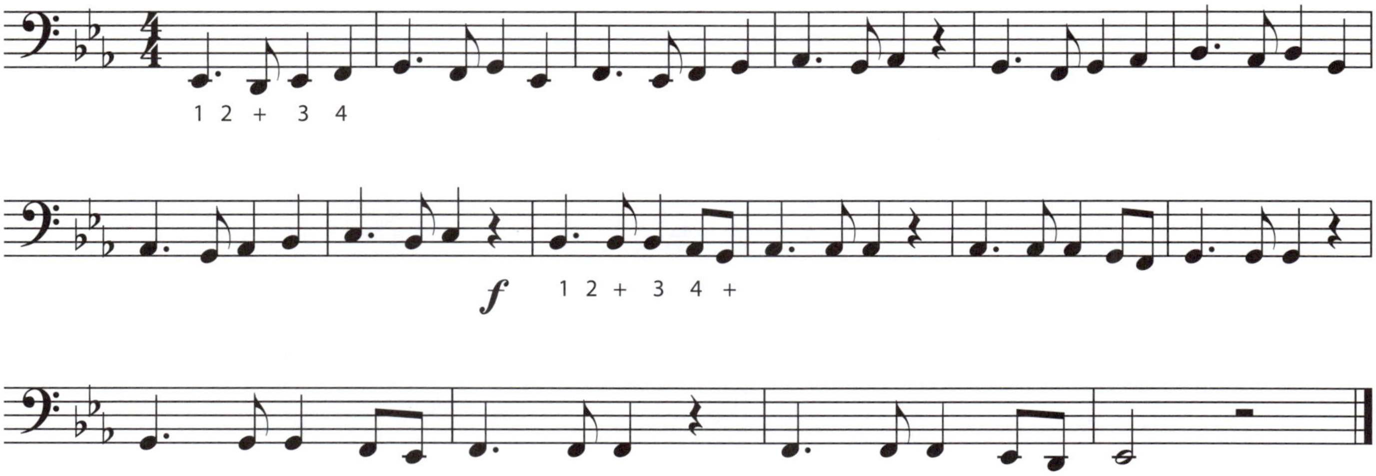

1 2 + 3 4

f 1 2 + 3 4 +

98F Das Wandern ist des Müllers Lust

Volkslied

98B Das Wandern ist des Müllers Lust

Volkslied

99 Mit Rhythmus unterwegs!

Tipp!

Liebe Tuba Füchse!
Manche Dinge brauchen Zeit.
Wenn etwas mal nicht gleich klappt:
Das ist ganz normal!
Nimm dir dafür einfach etwas mehr Zeit!

100 Drei Chinesen mit dem Kontrabass

101 Worried Man Blues

Spiritual

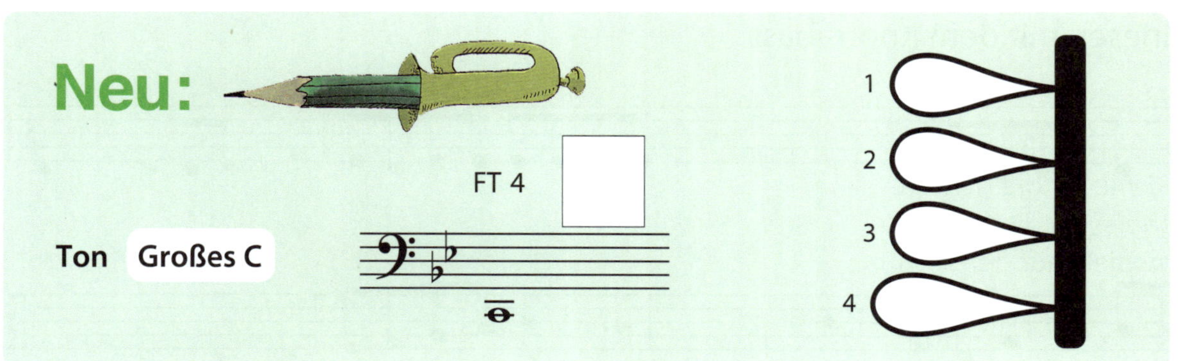

102 Lederhosen-Ländler

49 Playback

Stefan Dünser

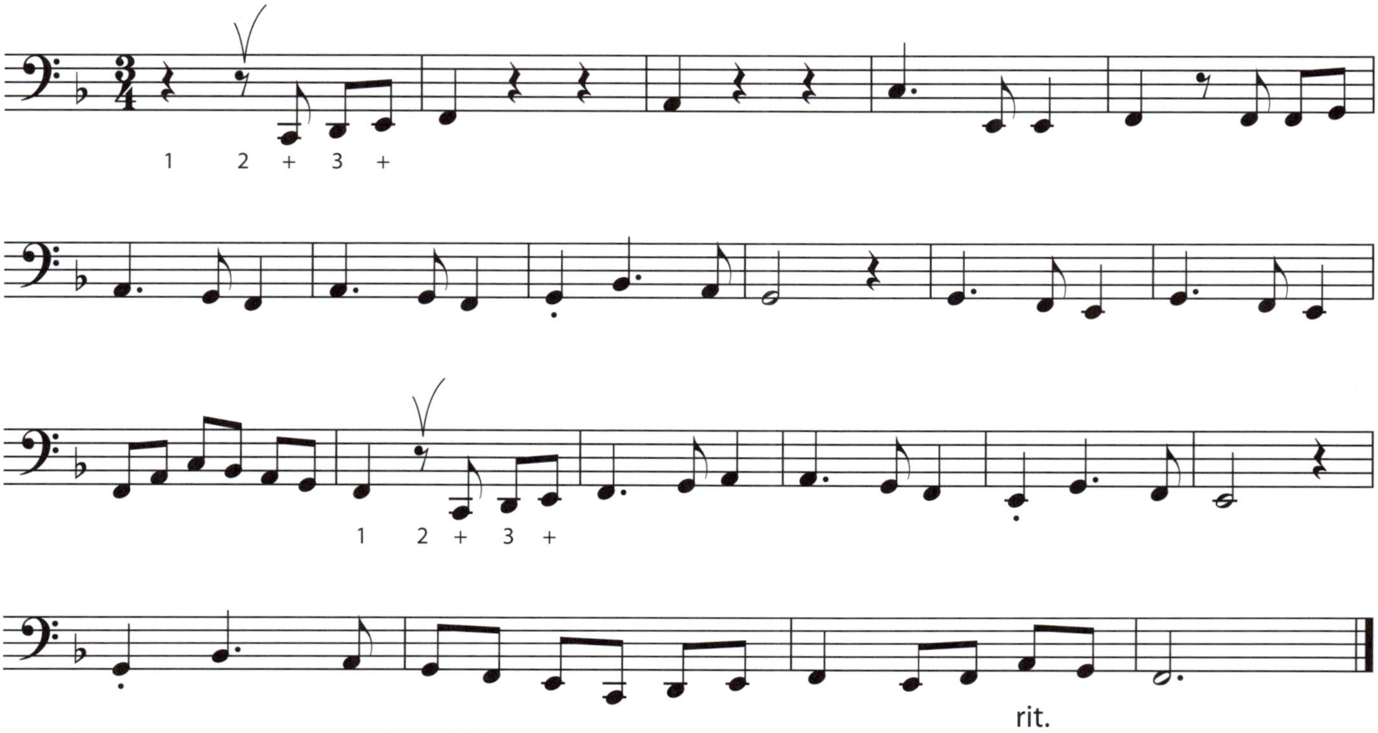

1 2 + 3 +

1 2 + 3 +

rit.

ritardando = langsamer werden, Abkürzung: „rit."

103 Auf, auf zum fröhlichen Jagen!

Jagdlied

Tipp!

Übe doch mal wieder die richtige Atmung. Erinnerst du dich an die lustigen Atemspiele auf den ersten Seiten?

Schau mal, was der Tubafuchs mit Luft vollgepustet hat!

104 Heiße Ventile in B-Dur

50 Playback langsam

51 Playback schnell

FT

BT

Wiederholung tenuto (breit gespielt) stoßen!

105 Tango d'Amore

Stefan Dünser

Leidenschaftlich!

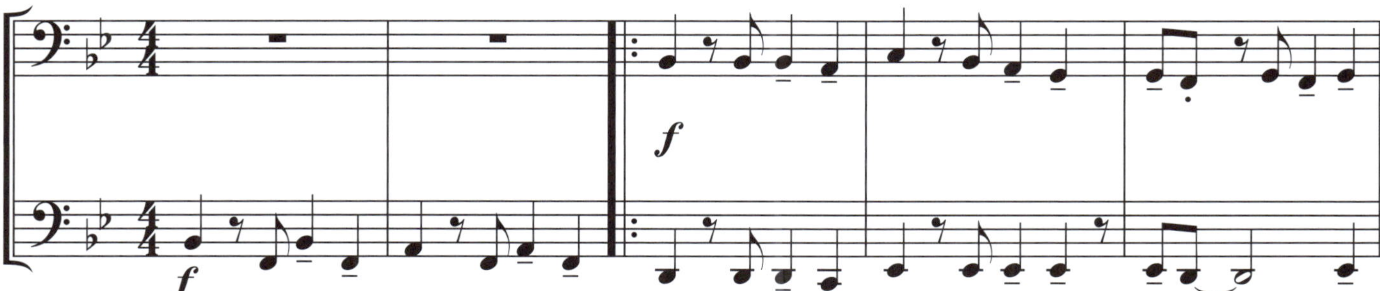

106 Kein schöner Land in dieser Zeit

Volkslied

107 Duell

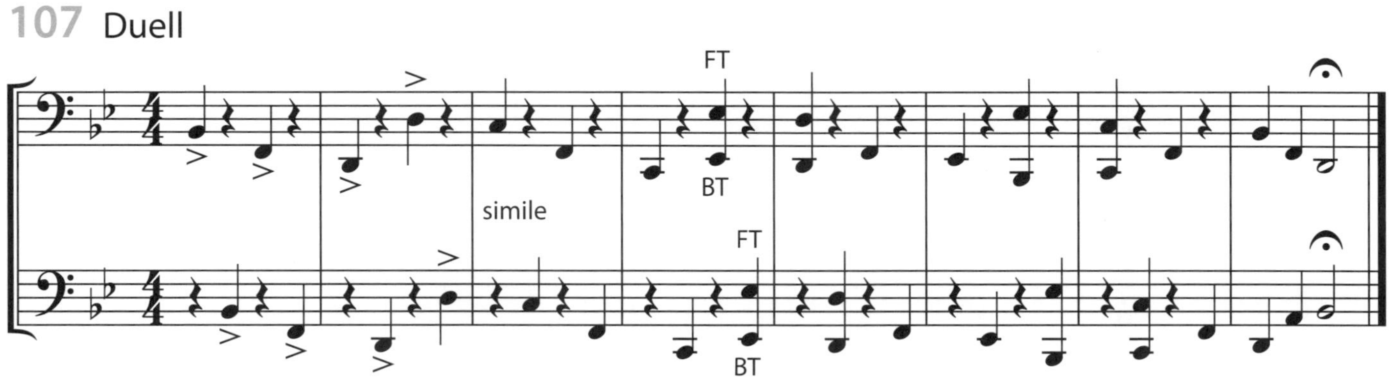

108 Dreiklänge umspielen!

Einspiel-Session 4 F-Tuba
Verwende diese Einspiellieder mehrere Wochen lang!
F Einspiel-Melodie 12
f
3 4 1 2 3 4
p
F Einspiel-Melodie 13
4*
1 2*
4*
4*
* Hier spielst du bis zum Ende der Klammer den angegebenen Griff. Probier zwischendurch auch die „normalen" Griffe.
F Largo
Antonin Dworak (1841-1904)
p
simile
f
mf
(mezzoforte = mittellaut)
p
F Andante grazioso
Wolfgang Amadeus Mozart (1756-1791)
p
p

Einspiel-Session 4 B-Tuba

Verwende diese Einspiellieder mehrere Wochen lang!

B Einspiel-Melodie 12

B Einspiel-Melodie 13

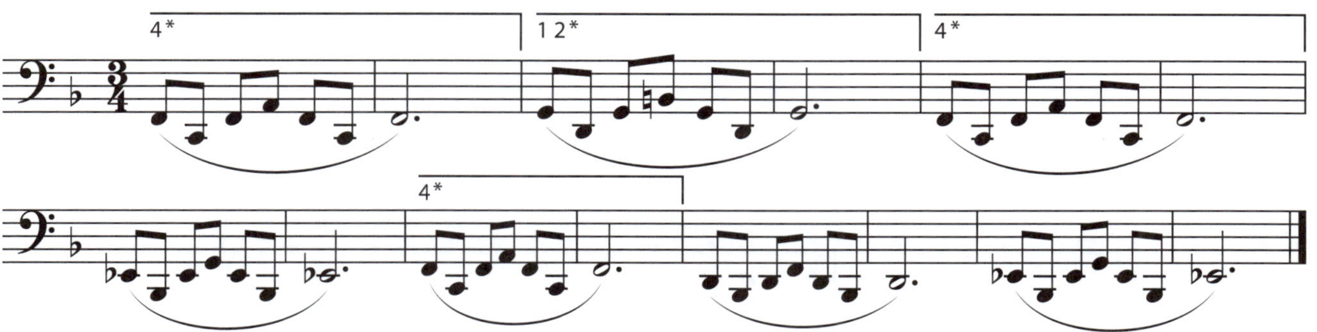

* Hier spielst du bis zum Ende der Klammer den angegebenen Griff. Probier zwischendurch auch die „normalen" Griffe.

B Largo

Antonin Dworak (1841-1904)

B Andante grazioso

Wolfgang Amadeus Mozart (1756-1791)

Neu:

Tonart: As-Dur

Vorzeichen: 4♭

Viertes ♭: Der Ton D wird zu Des.

Ton
Kleines As

Ton
Kleines Des

Ton
Großes Des

Ton
Kleines g

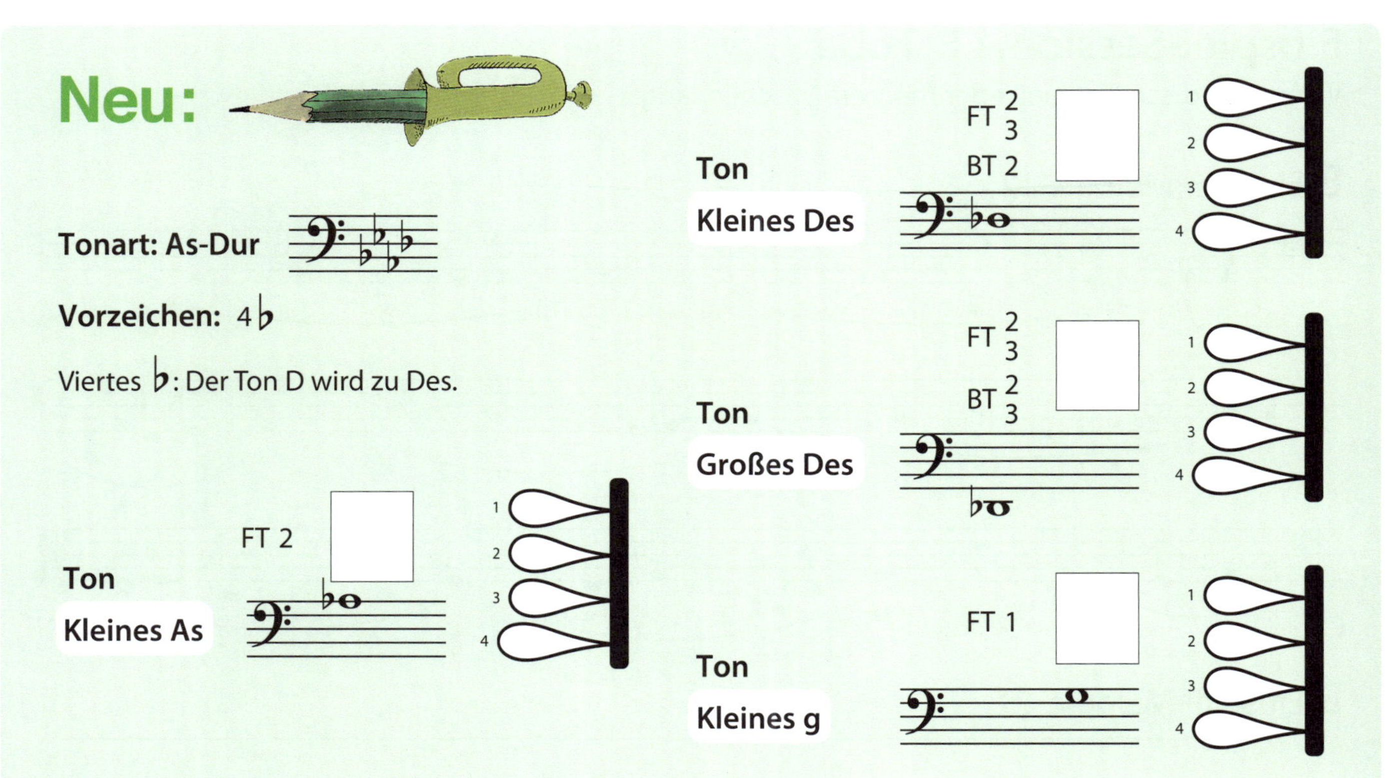

109 As -Dur Tonleiter + Dreiklang

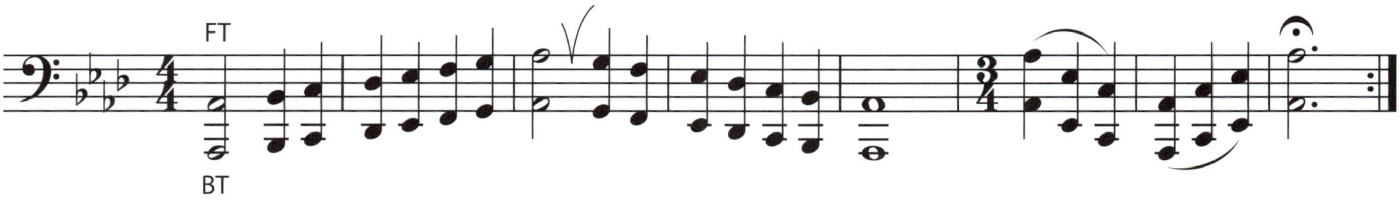

110 Burden Down Lord

Spiritual

Thema

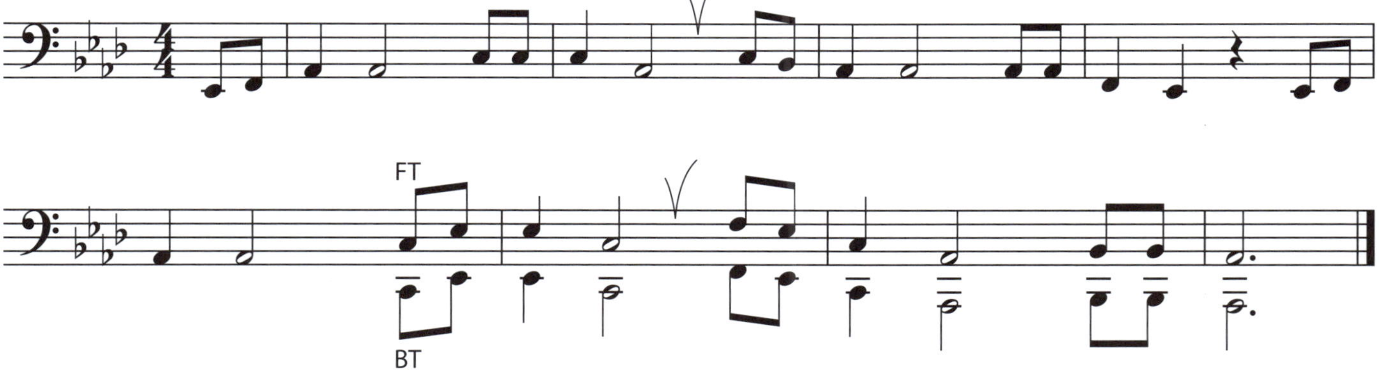

1. Variation (Abänderung)

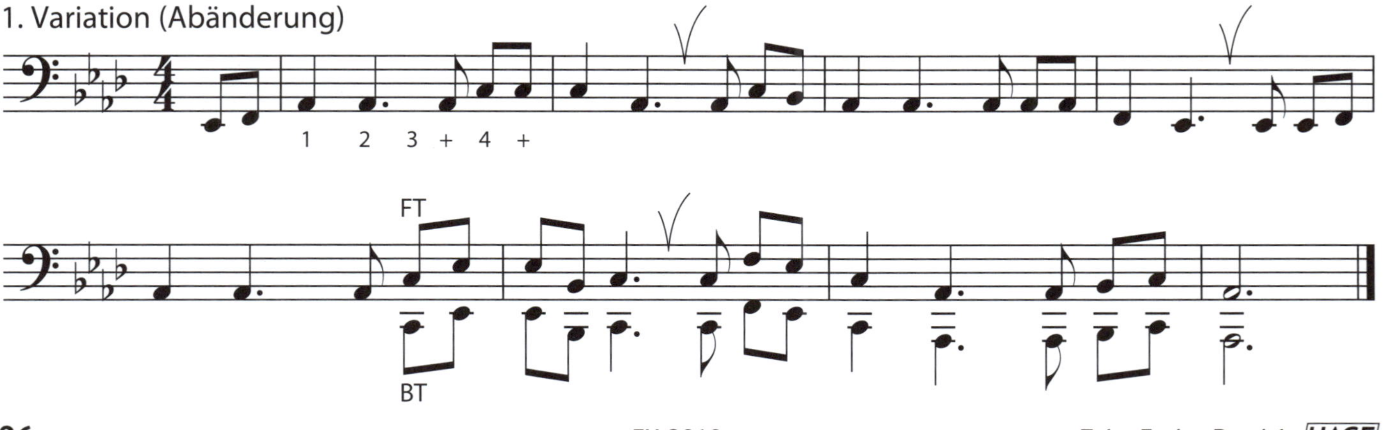

2. Variation

Tipp!

Denk nicht daran, dass du gut spielen sollst, sondern versuche vor allem gut zu klingen! Spiele immer mit viel Atemluft.

111 Mit Rhythmus unterwegs!

112 Kumbayah My Lord

Spiritual

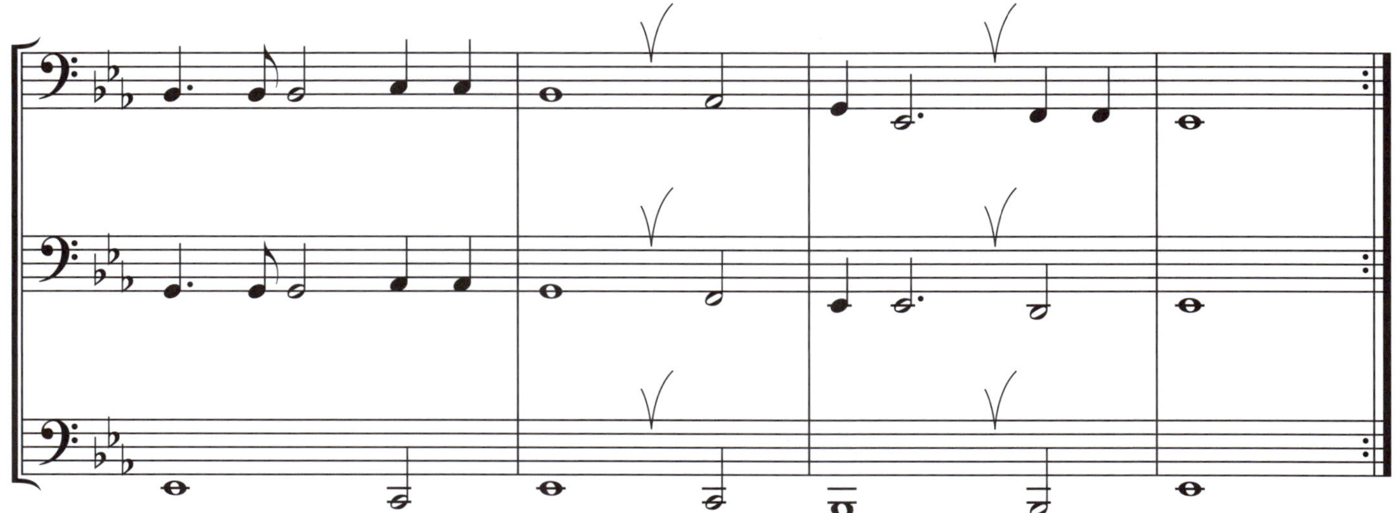

113 Uf dr Alm - do gibt's ka Sünd schwungvoll!
Stefan Dünser
1 2 3
1 2 3 1 2 3
rit.
114 Tanzetüde
52 Playback
f
p
FT
BT
f
1 2 3 1 2 3

115 Katjuscha

aus Russland

beim 2.x schneller werden! (= accelerando)

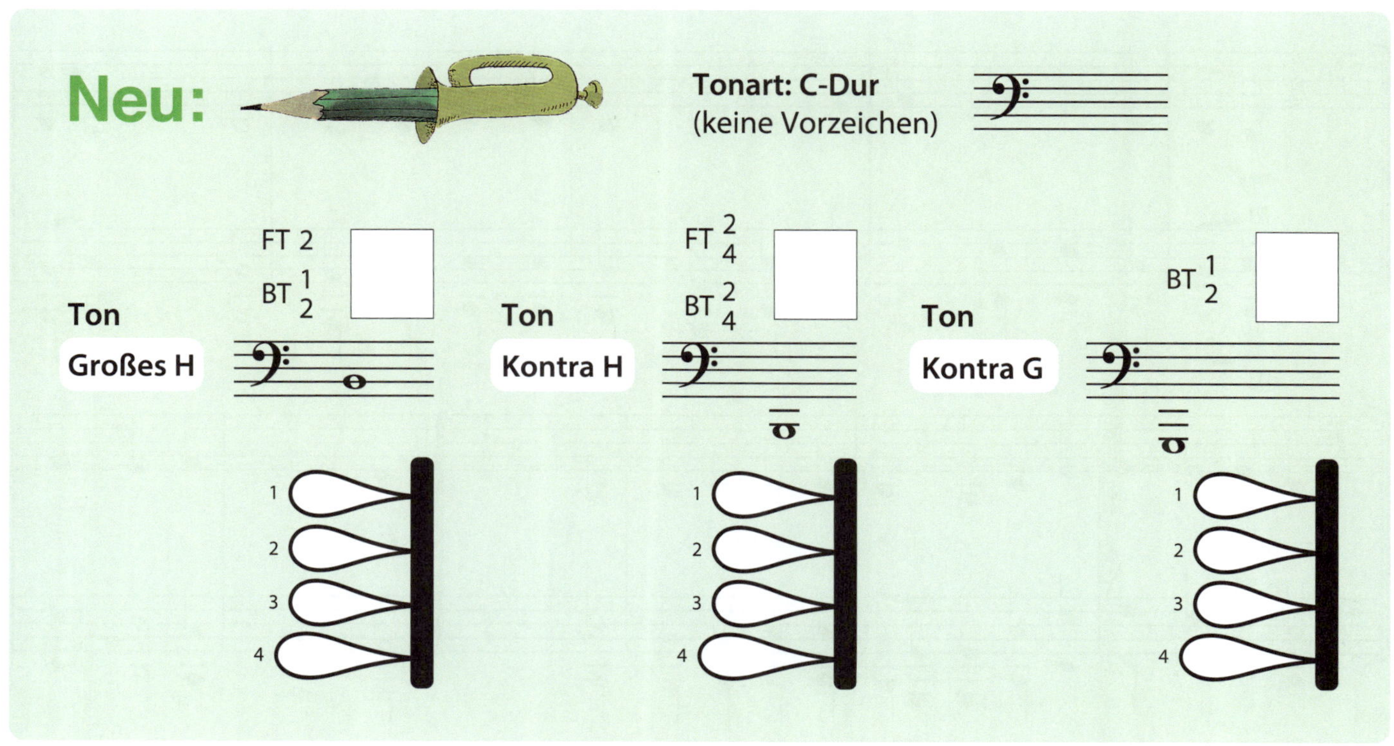

116 C-Dur Tonleiter + Dreiklang

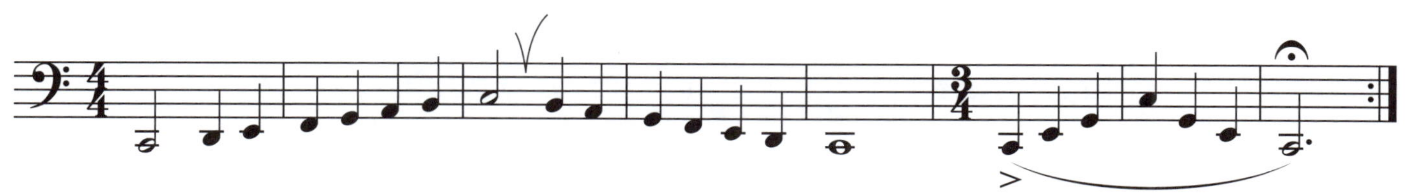

117 Auf Hawaii mit dem h!

118 Oh Susanna

Cowboy-Song aus Amerika

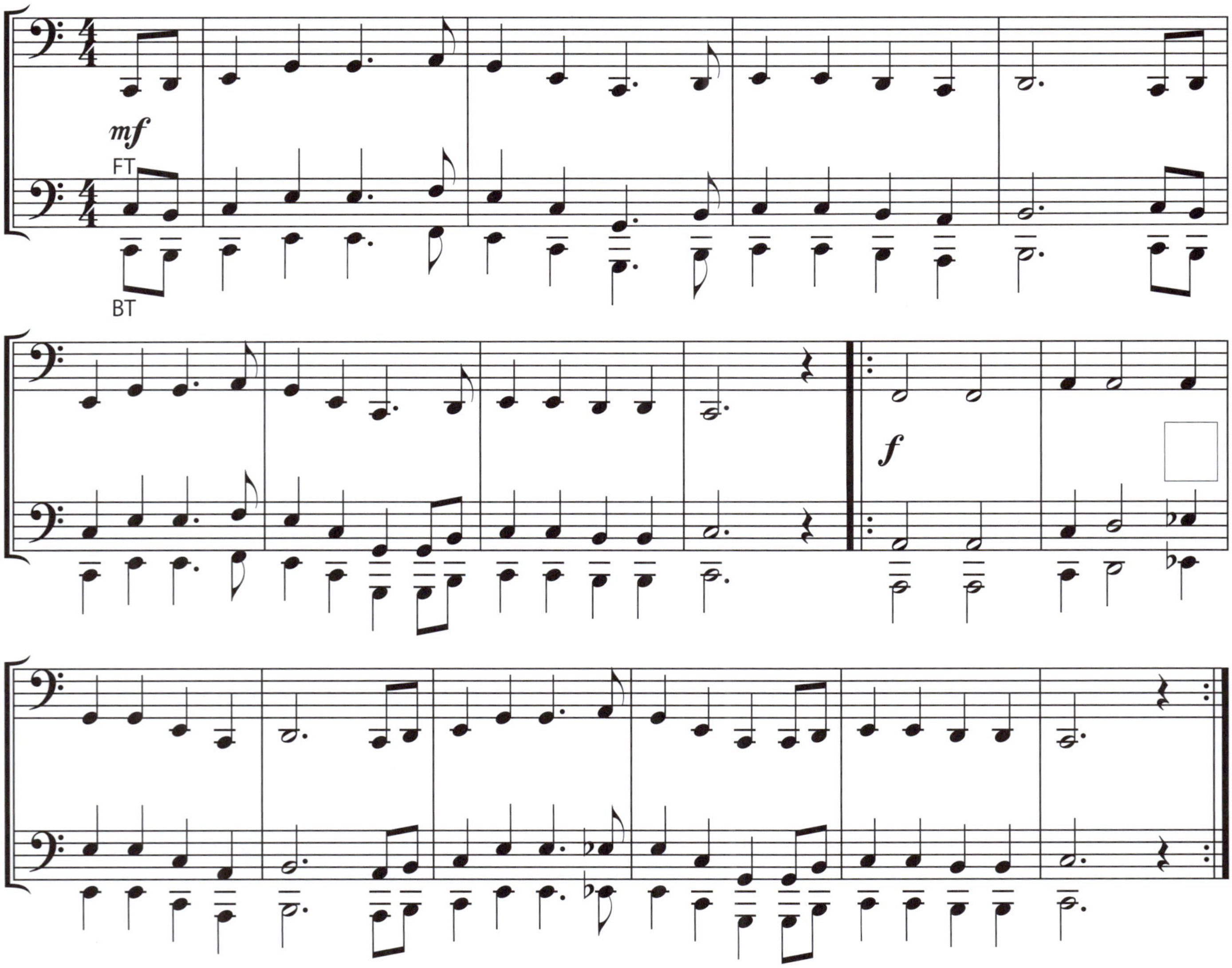

mf
FT
BT
f

119 Someone Is Knocking At Your Door

Spiritual

120 Heiße Ventile in C-Dur

Auch im Swing Rhythmus üben!

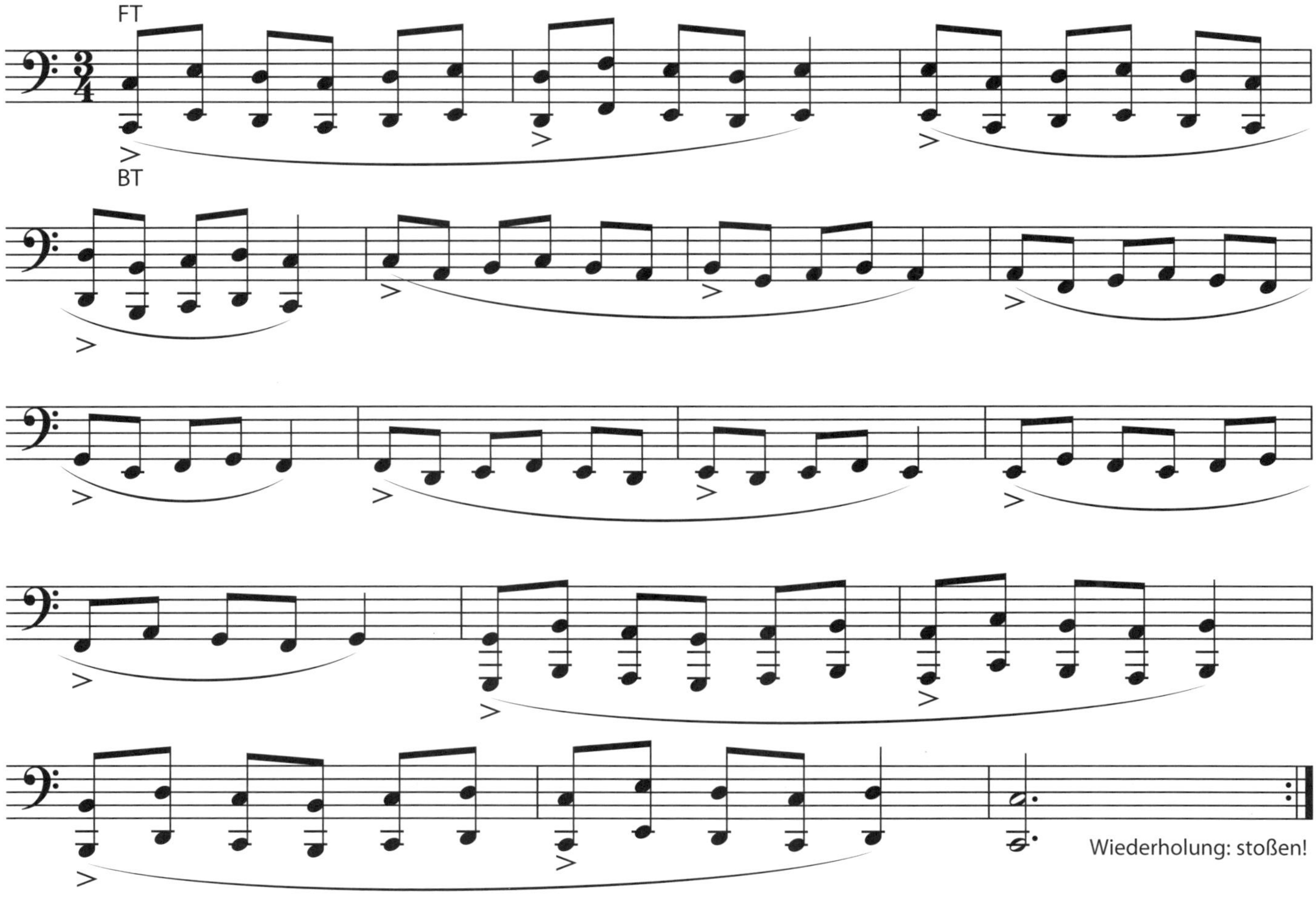

FT

BT

Wiederholung: stoßen!

121 Mit Rhythmus unterwegs

Tipp!

Swing ist eine total coole Spielart! Immer ganz locker und „lässig“, lass dir das mal vorspielen!

122 Tuba-Swing

Stefan Dünser

Cool - Swing

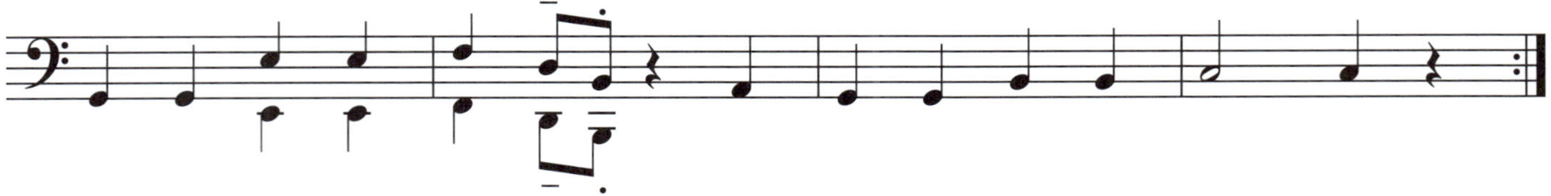

1. Cool - Variation

2. Cool - Variation

123 Tonleiter spielen in C-Dur

54 Playback langsam

55 Playback schnell

FT

BT

124 Mit Rhythmus unterwegs!

125 Swing Low, Sweet Chariot

Spiritual

126 Schön ist die Welt

Walzer aus Österreich

B-Tubisten spielen hier die 2. Stimme oder probieren ganz frech mal die 1. Stimme

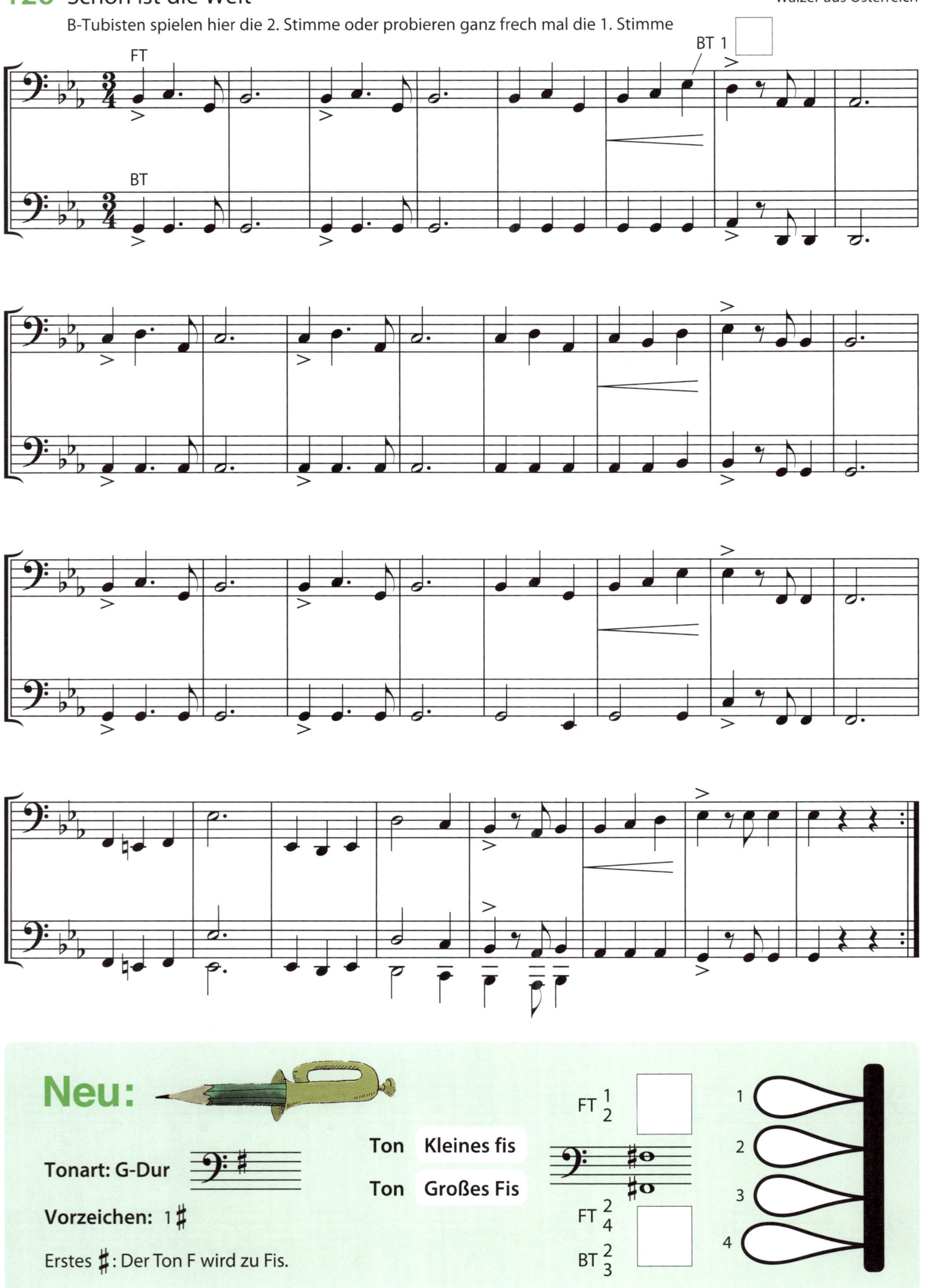

127 G-Dur Tonleiter + Dreiklang

128 Wohl ist die Welt so groß und weit!

56 Playback

Marsch

FT
BT
mf
f
mf
f

129 Tonleiter spielen in G-Dur

57 Playback langsam

58 Playback schnell

130 Bella Capri

Stefan Dünser

Verträumt

131 Banana Boat Song

aus Jamaika

132 La Cucaracha

aus Mexico

133 Duell

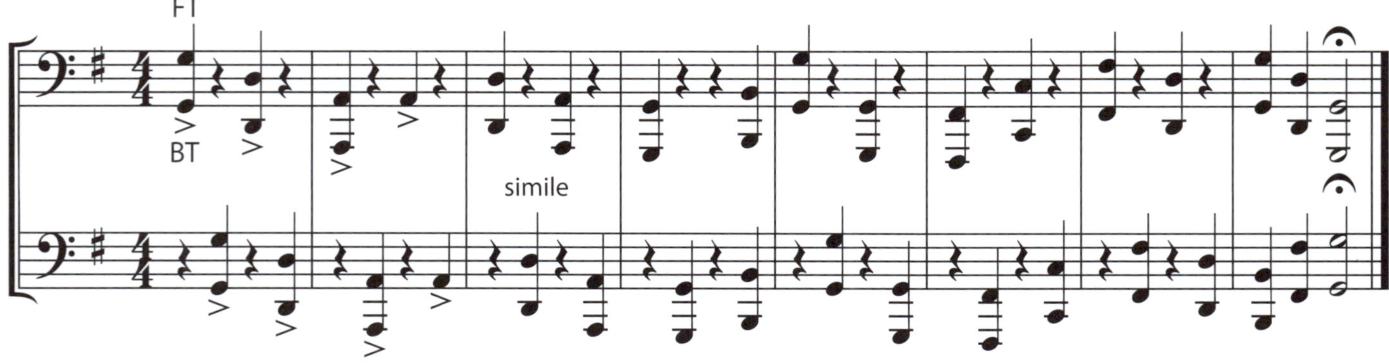

134 Guten Abend gut' Nacht

Johannes Brahms (1833-1897)

Tubaspieler trotzdem wach bleiben: Es-Dur!

135 Go Down Moses

Spiritual

Ende

Weihnachtslieder

F Jingle Bells

B Jingle Bells

F Morgen kommt der Weihnachtsmann

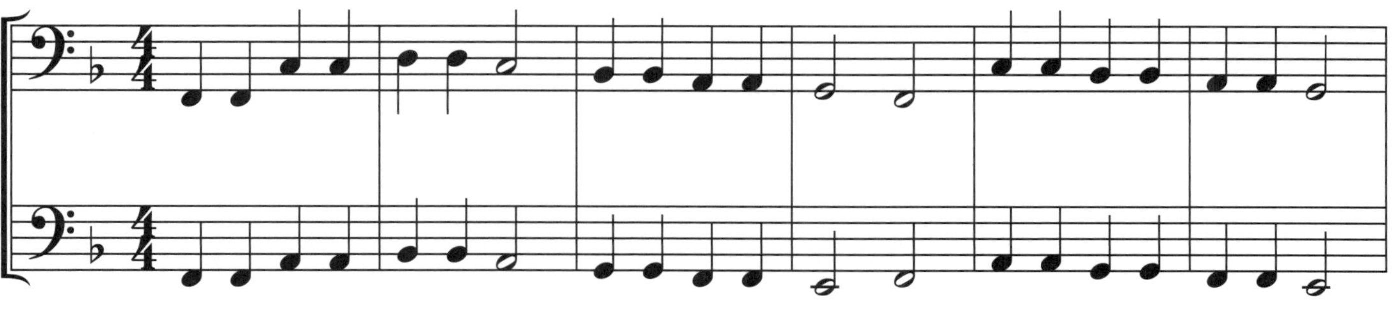

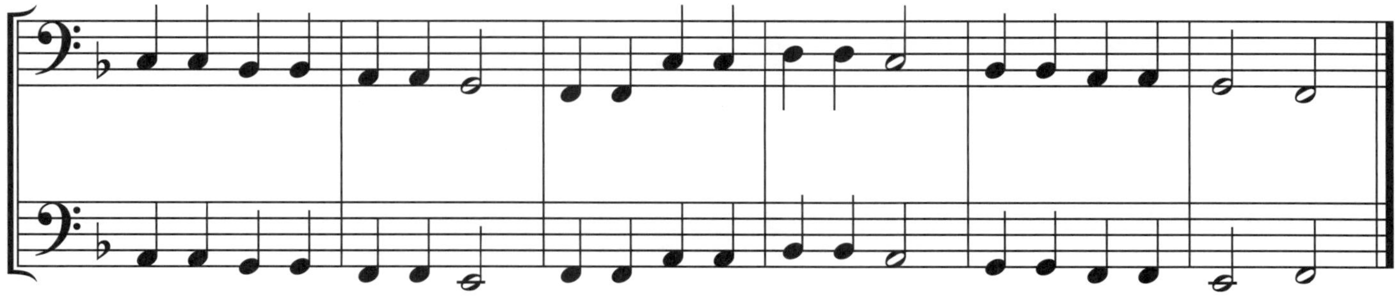

B Morgen kommt der Weihnachtsmann

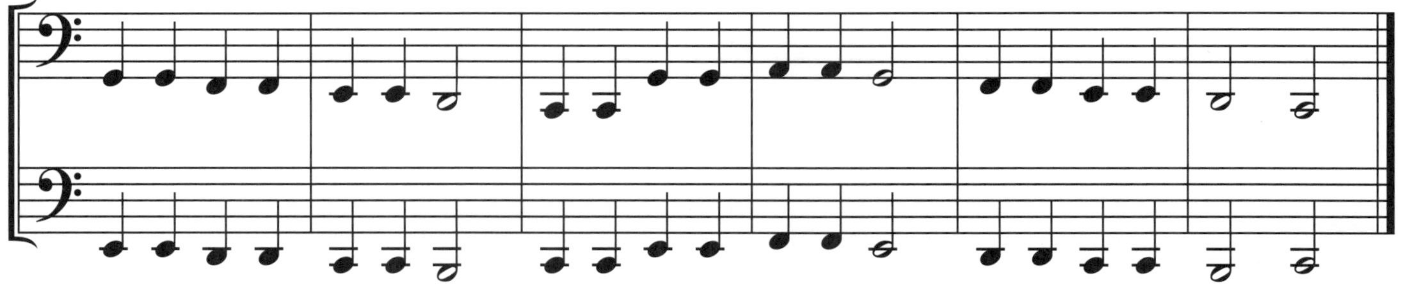

F Lasst uns froh und munter sein!

B Lasst uns froh und munter sein!

Leise rieselt der Schnee

Kling Glöcklein klingelingeling

Ihr Kinderlein kommet

Stille Nacht

Liebe Tuba Füchse!

Mir hat es voll Spaß gemacht mit euch!
Wenn ihr hier angekommen seid, könnt ihr schon ziemlich gut spielen!
Somit erteile ich euch jetzt hoch offiziell den Titel „**Tuba Fuchs**"!

GRATULIERE!

Tonumfang-Training für F-Tuba

Bis zu welchem Ton kannst du blasen?

mf

mf

mf

mf

mf

mf

mf

mf

mf

Tonumfang-Training für B-Tuba

Bis zu welchem Ton kannst du blasen?

mf

mf

mf

mf

mf

mf

mf

mf

mf

Ansatz-Training Krafttraining für Lippen und „Atemzüge" für F-Tuba und B-Tuba

Übezeit-Übersichts-Tafel

Schreib dir mal auf, wieviele Minuten du jeden Tag übst! Üben macht dann Freude, wenn man gut spielen kann! Dafür muss man aber erst mal üben, also - LOS!
Sei mal ganz ehrlich und beurteile dich selbst:
Super - brav - noch OK - nicht fleißig - zu faul!

Viel Spaß!

Mo	Di	Mi	Do	Fr	Sa	So	Zusammen	Ich war:

Mo	Di	Mi	Do	Fr	Sa	So	Zusammen	Ich war:

Mo	Di	Mi	Do	Fr	Sa	So	Zusammen	Ich war:

Mo	Di	Mi	Do	Fr	Sa	So	Zusammen	Ich war:

Mo	Di	Mi	Do	Fr	Sa	So	Zusammen	Ich war:

Mo	Di	Mi	Do	Fr	Sa	So	Zusammen	Ich war:

Mo	Di	Mi	Do	Fr	Sa	So	Zusammen	Ich war:

Mo	Di	Mi	Do	Fr	Sa	So	Zusammen	Ich war:

Mo	Di	Mi	Do	Fr	Sa	So	Zusammen	Ich war:

Mo	Di	Mi	Do	Fr	Sa	So	Zusammen	Ich war:

Grifftabelle F-Tuba, Es-Tuba, C-Tuba & B-Tuba

		F-Tuba	Es-Tuba	C-Tuba	B-Tuba
Kontra-F	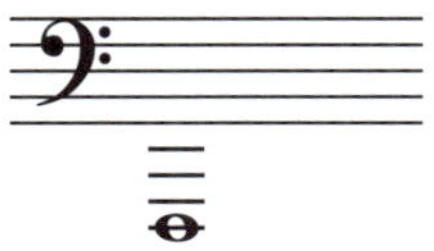	0	2 3 4 5 (etwas hoch) / 1 2 3 4 (sehr hoch) / 1 2 3 (kompensiert)	5 4 / 1 2 4 (etwas tief)	4 / 1 3 (hoch)
Kontra-Fis/Ges		1 2 3 4 5	1 2 4 5 / 1 3 4 (sehr hoch) / 2 3 4 (kompensiert)	2 4 / 2 3 5 / 1 2 3 (sehr hoch)	2 3
Kontra-G	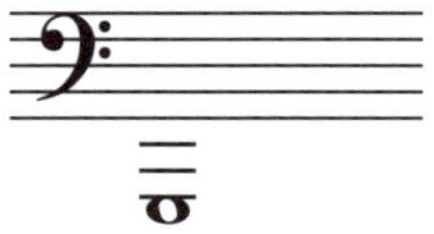	2 3 4 5 (etwas hoch) / 1 2 3 4 (sehr hoch)	2 3 4 / 3 4 (kompensiert) / 1 2 3 (kompensiert)	4 / 1 3 (hoch)	1 2 / 3
Kontra-Gis/As	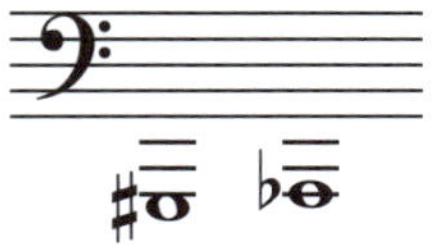	1 2 4 5 / 1 3 4 (hoch)	5 4 / 1 2 4 (etwas tief) / 1 4 (kompensiert)	2 3	1
Kontra-A	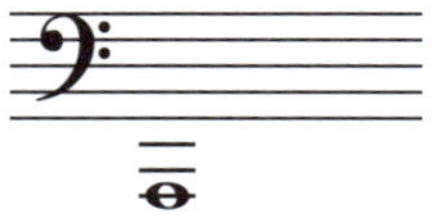	2 3 4 / 2 4 5	2 4 / 5 2 3 / 1 2 3 (hoch)	1 2 / 3	2
Kontra-Ais/B	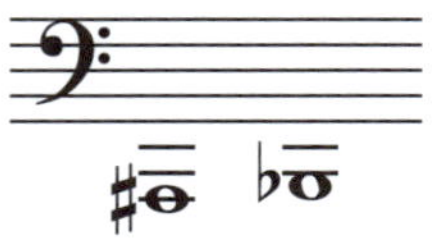	4 5 / 1 2 4 (etwas tief)	4 / 1 3 (hoch)	1	0
Kontra-H/ Großes Ces		2 4 / 5 2 3 / 1 2 3 (sehr hoch)	2 3	2	2 4 / 1 2 3 (sehr hoch)
Großes C		4 / 1 3 (hoch)	1 2 / 3	0	4 / 1 3 (hoch)
Großes Cis/Des		2 3	1	2 4 / 5 2 3 / 1 2 3 (sehr hoch)	2 3

Grifftabelle F-Tuba, Es-Tuba, C-Tuba & B-Tuba

		F-Tuba	Es-Tuba	C-Tuba	B-Tuba
Großes D	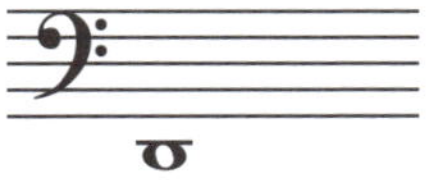	1 2; 3	2	4; 1 3 hoch	1 2; 3
Großes Dis/Es		1	0	2 3	1
Großes E/Fes		2	2 4; 1 2 3 sehr hoch	1 2; 3	2
Großes F		0	4; 1 3 hoch	1	0
Großes Fis/Ges		2 4; 2 3 5 etwas tief; 1 2 3 sehr hoch	2 3	2	2 3
Großes G	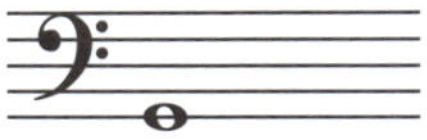	4; 1 3 hoch	1 2; 3	0	1 2; 3
Großes Gis/As		2 3	1	2 3	1
Großes A	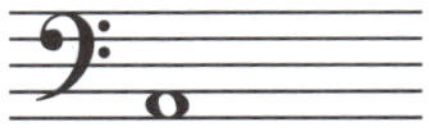	1 2; 3	2; 2 4; 5 4; 1 2 3 hoch	1 2; 3	2
Großes Ais/B		1	0; 4; 1 3 hoch	1	0

Grifftabelle F-Tuba, Es-Tuba, C-Tuba & B-Tuba

		F-Tuba	Es-Tuba	C-Tuba	B-Tuba
Großes H/ Kleines ces		2 etwas hoch; 2-4; 2-3-5; 1-2-3 hoch	2-3	2	1-2 etwas tief; 2-4; 1-2-3 etwas hoch; 3 tief
Kleines c		0 etwas hoch; 4; 1-3 hoch	1-2; 3	0	1 etwas tief; 4
Kleines cis/des	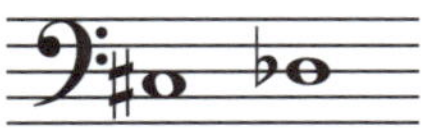	2-3	1	1-2 etwas tief; 2-4; 1-2-3 etwas hoch; 3 tief	2 etwas tief; 2-3
Kleines d		1-2; 3	2	1 etwas tief; 4	0 etwas tief; 1-2; 3
Kleines dis/es		1	0	2; 2-3	1
Kleines e/fes		2	1-2 etwas tief; 2-4	0 etwas tief; 1-2; 3	2
Kleines f		0	1 etwas tief; 4	1	0
Kleines fis/ges	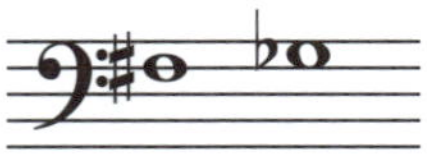	1-2 etwas tief; 2-4	2 etwas tief; 2-3	2	2-3
Kleines g	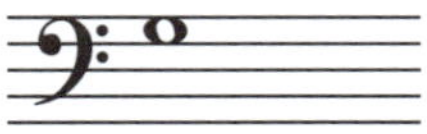	1 etwas tief; 4	0 etwas tief; 1-2; 3	0	1-2; 3

Grifftabelle F-Tuba, Es-Tuba, C-Tuba & B-Tuba

		F-Tuba	Es-Tuba	C-Tuba	B-Tuba
Kleines gis/as		2 (etwas tief) · 2/3	1	2/3	1
Kleines a		0 (etwas tief) · 1/2 · 3	2	1/2 · 3	2
Kleines ais/b		1	0	1	0
Kleines h/ eingestri-chenes ces'		2	2/3	2	1/2
Eingestri-chenes c'		0	1/2 · 3 (tief)	0	1/0

Wenn das **5. Ventil** angegeben ist, dann wird von einem **1 ¼ Ton-Ventil** ausgegangen.
Andere Ventilsysteme können abweichende Tonlängen und zusätzliche Ventile haben.

Griffe mit der Ergänzung **„kompensiert"** funktionieren nur auf Instrumenten mit einem sogenannten **„Kompensationssystem"** (fast ausschließlich bei Es- und B-Tuben englischer Bauart).

Die Intonationsangaben „tief", „hoch" etc. sind durchschnittliche Richtwerte, die nicht für alle Instrumente im vollen Umfang Gültigkeit haben müssen. Die **gebräuchlichsten Griffe** stehen immer **links**.

Die Zahlen über den Noten entsprechen den zu drückenden Ventilen:
1 = Ventil 1, mit Zeigefinger
2 = Ventil 2, mit Mittelfinger
3 = Ventil 3, mit Ringfinger
4 = Ventil 4, mit kleinen Finger
5 = Ventil 5, mit Daumen der rechten Hand oder Zeigefinger der linken Hand (je nach System)

Die Füchse kommen!

Die genialen und spaßigen Instrumentenschulen für Bläser

Spielerisch und mit Begeisterung erlernen die Anfänger Schritt für Schritt das Instrumentenspiel. Viele neue, aber auch bewährte methodische Wege sind in diesen Schulen eingearbeitet. Die Füchse gehören mittlerweile zu den erfolgreichsten Instrumentenschulen der letzten Jahre.

Trompeten Fuchs
Band 1, Schule mit QR-Codes
DIN A4, 128 Seiten, Spiralbindung
ISBN 978-3-86626-078-8
Best.-Nr.: EH 3801

Band 1, Schule in C
für Posaunenchor mit QR-Codes
DIN A4, 108 Seiten, Spiralbindung
ISBN 978-3-86626-132-7
Best.-Nr.: EH 3804

Trompeten Fuchs
Band 2, Schule mit QR-Codes
DIN A4, 128 Seiten, Spiralbindung
ISBN 978-3-86626-079-5
Best.-Nr.: EH 3802

Band 2, Schule in C
für Posaunenchor mit QR-Codes
DIN A4, 112 Seiten, Spiralbindung
ISBN 978-3-86626-133-4
Best.-Nr.: EH 3805

Trompeten Fuchs
Band 3, Schule mit QR-Codes
DIN A4, 128 Seiten, Spiralbindung
ISBN 978-3-86626-080-1
Best.-Nr.: EH 3803

Trompeten Fuchs Spielbuch
Spielbuch mit 2 CDs
DIN A4, 64 Seiten, Klammerheftung
ISBN 978-3-86626-256-0
Best.-Nr.: EH 3809

Posaunen Fuchs
Band 1, Schule mit QR-Codes
DIN A4, 106 Seiten, Spiralbindung
ISBN 978-3-86626-081-8
Best.-Nr.: EH 3811

Posaunen Fuchs
Band 2, Schule mit QR-Codes
DIN A4, 112 Seiten, Spiralbindung
ISBN 978-3-86626-082-5
Best.-Nr.: EH 3812

Posaunen Fuchs Spielbuch
Spielbuch mit MP3-CD
DIN A4, 64 Seiten, Klammerheftung
ISBN 978-3-86626-402-1
Best.-Nr.: EH 3810

Alle Füchse auf einen Blick!
Mehr Infos zu unseren Büchern finden
Sie auf www.hagemusikverlag.de

Horn Fuchs
Band 1, Schule mit QR-Codes
DIN A4, 112 Seiten, Spiralbindung
ISBN 978-3-86626-280-5
Best.-Nr.: EH 3813

Horn Fuchs
Band 2, Schule mit QR-Codes
DIN A4, 126 Seiten, Spiralbindung
ISBN 978-3-86626-339-0
Best.-Nr.: EH 3814

Klarinetten Fuchs
Band 1, Schule mit QR-Codes
DIN A4, 124 Seiten, Spiralbindung
ISBN 978-3-86626-382-6
Best.-Nr.: EH 3815

Klarinetten Fuchs
Band 2, Schule mit CD
DIN A4, 160 Seiten, Spiralbindung
ISBN 978-3-86626-446-5
Best.-Nr.: EH 3816